KB164110

기생수

寄生獸 4

HITOSHI IWAAKI 애장판

寄生獸

기생수

4

contents 애장판

—— 제26화 —— 소녀의 꿈

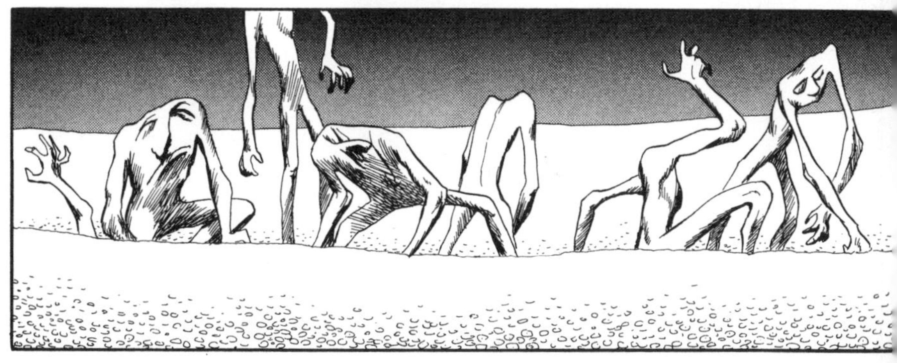

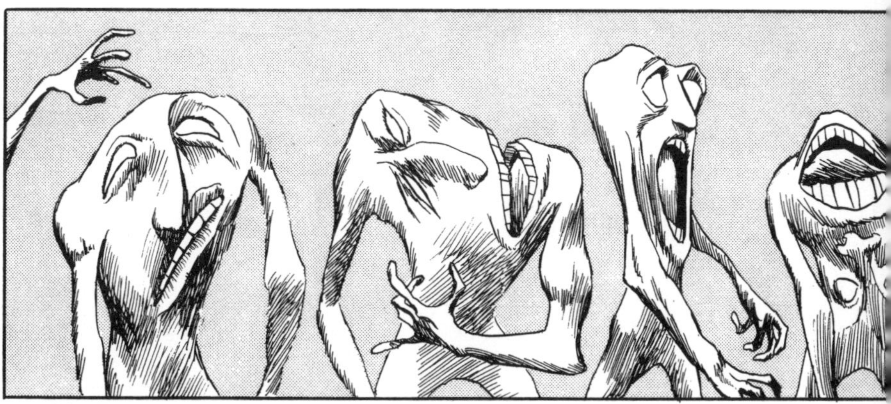

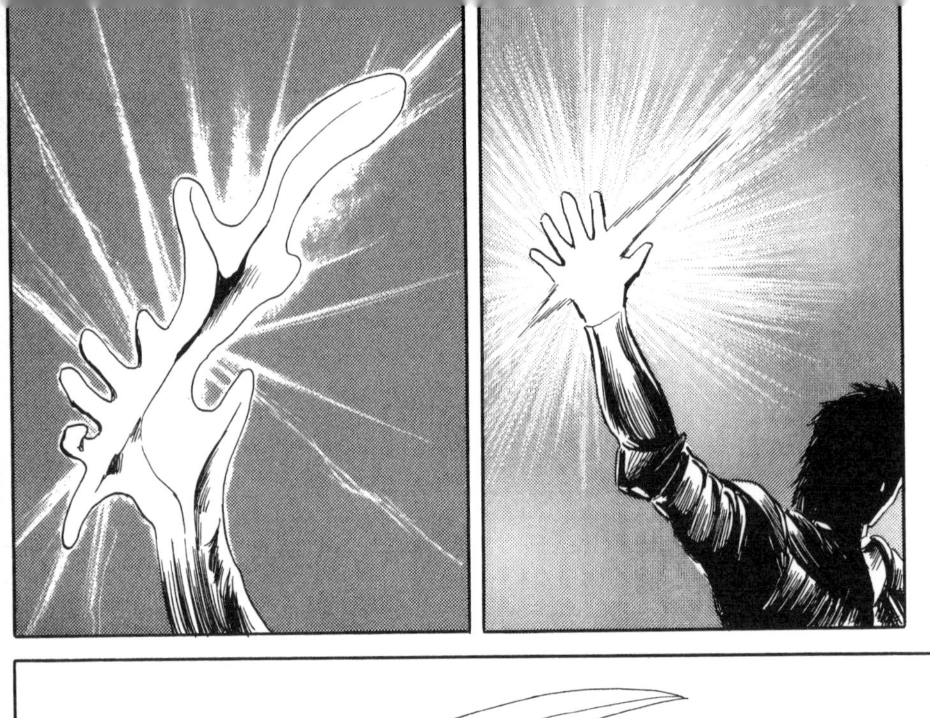

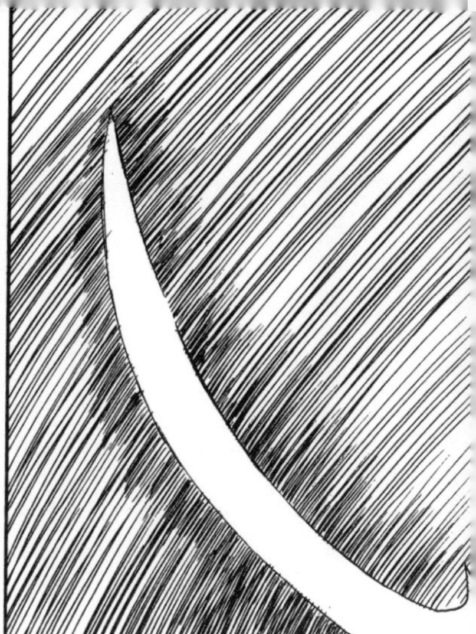

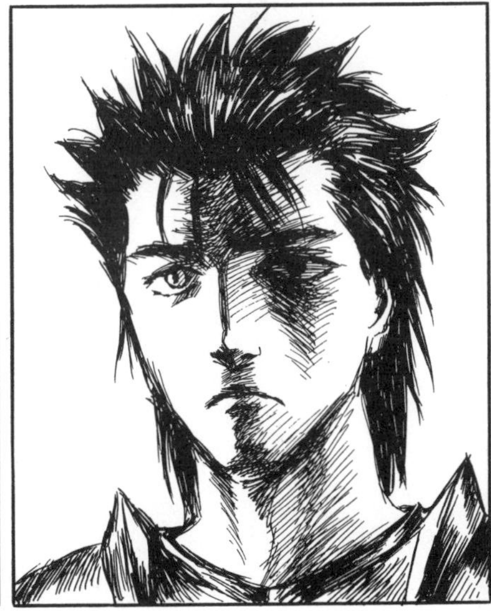

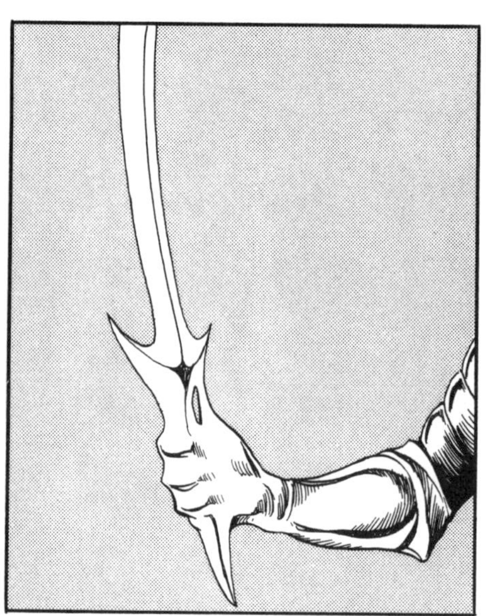

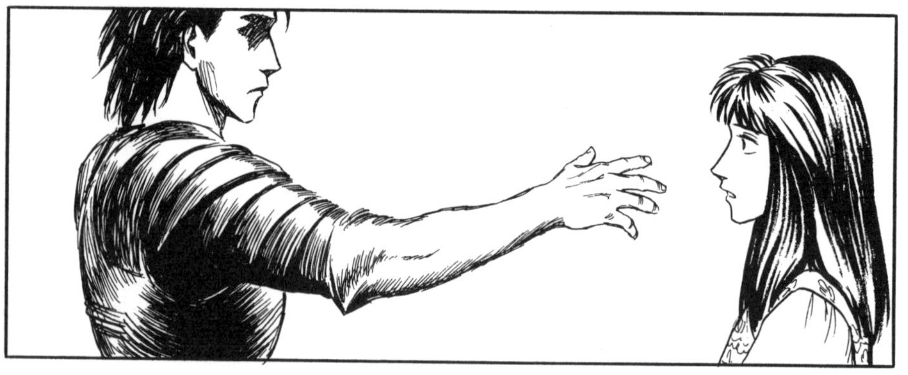
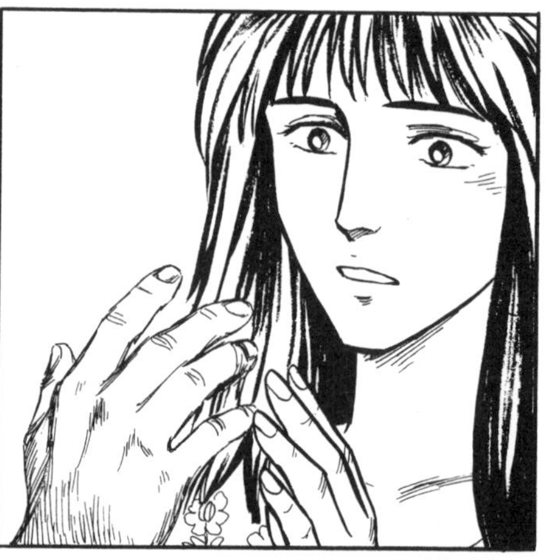
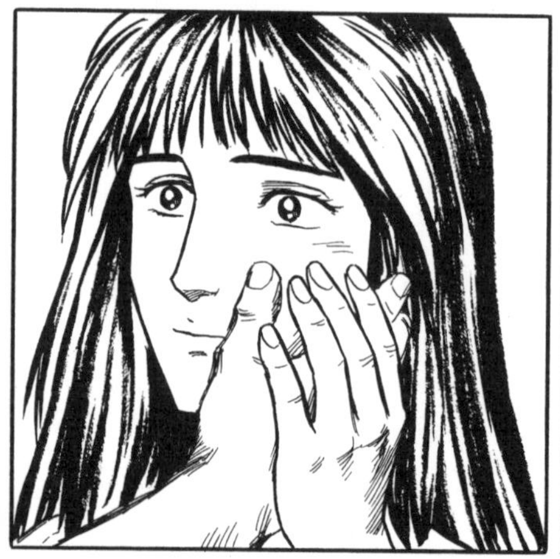

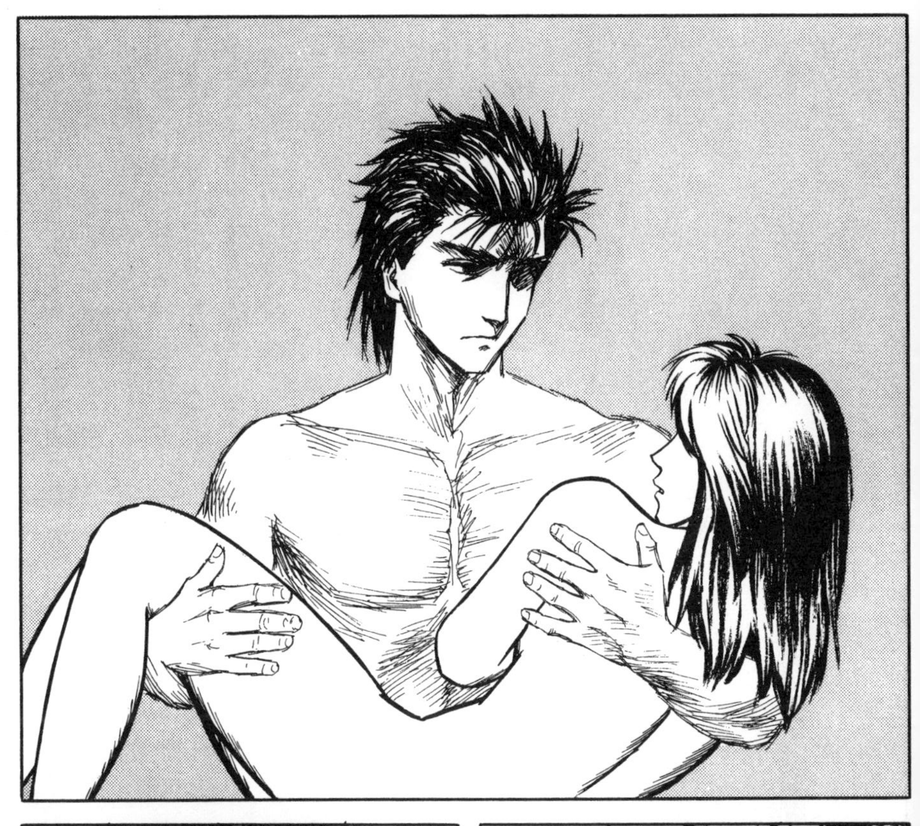

당신은…
생명의
은인이에요….

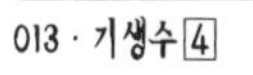

……

아하하하하
하하하하하하!
푸하하하하하!

푸훗.

죽어도 말 못할
꿈을 꿨네….
남한테는…

하아….
아하하하!

덜컹
덜컹
…….

아~
귀찮아라.

분명히
개가…
백마를 타고
있었어.

푸하
하하

덜컹 덜컹

학생이 죽은 사건!
살인귀 「시마다 히데오」

엉?!
이놈은!

야!
이거 안 놔?

이상하군….
나와 신이치가
왜 닮았다는
거지?

아무튼!
네가 느낀다는
뭔가는…
아까 그놈처럼
이상한 놈들이 내는
뭐랄까…
파장 같은 거라구.

괴물…?

헤―.
그럼 너도 위험한
인간이라 이거야?

설…마?

그…그래!
나도….

오후──.

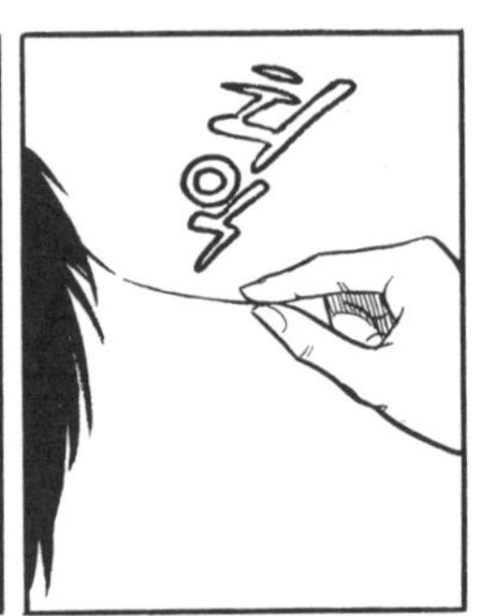
휘익

아야.

뭐야…
너였어?

아무렇지도
않네….

아냐.
하하하.
하하하….
신경쓰지 마.

잠깐만!

있지!
그때 그
이상한 놈
말이야!

걔가
「시마다 히데오」
맞지?

넌 걔랑
꽤 잘 아는 것
같던데?
저… 정체까지
알았던 건
아니야.
그놈의….

그렇다고 그렇게
울상 지을 건
또 뭐니?

하긴 그야 그렇겠지!
괴물이랑
아는 사이일 리 없지….

…….

신이치….
무슨 생각을
하는지 알아.

오른쪽이는…
깨어 있고.

이 애는 특별해.
모두
털어놓는 게
어떨까…?

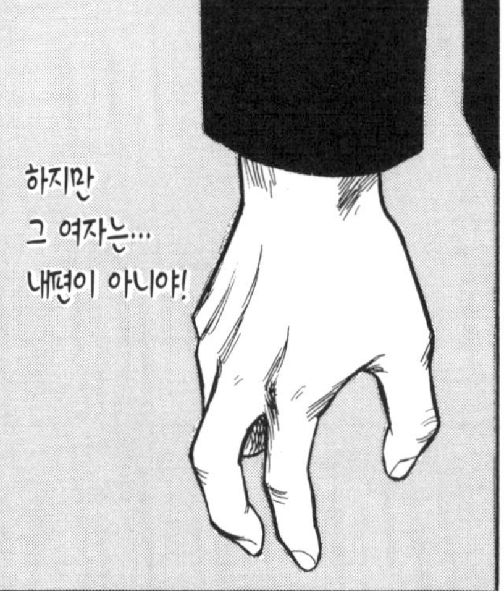
하지만
그 여자는…
내편이 아니야!

…….

…….

카나!
옛쌔!

언젠
너한테
이상한 힘
있댔지
그래.
그것 때문에
골치야.

그날 이후로도,
너 말고도
가—끔 느껴.
…….

아무튼…
아무튼…
그놈들한테…
?

그놈들한테
가까이 가면
안 돼

왜…?
혹시
괴물이라는 거야?
네가 그런 걸
어떻게 아냐?

자기도 보통
사람이면서

그래!
그럼 다른 놈들의
머리카락도 한 번씩
뽑아보면 되겠다.

안 돼!!
그런 짓
하지 마!!

……

…왜 그래? 소리 소리 지르고.
알지도 못하는 사람들한테 내가 그런 짓을 왜하냐?

다들 너무 신경질적이야. 하긴… 서부고 학생이니 할 수 없지….
건이 일어난
장이었으니까.

기운 내.
툭

……

신이치,
잠시
떨어져라.
할 말이 있어.

아차,
볼일이
있었지.

미안,
또 보자….
…….

신이치,
이제 저 여자하고
말하지 마라.
그럴 수는 없어.

얘기할 때
좀더 조심만
하면…
그 애는
안전한 위치에
있을 수 있어.

하지만…
네 말의
여기 저기에서
허점이
보이고 있어.

…조심할게.
너에 대해선
눈치 못 채도록.
당연하지.

어?
너는….

안녕….
뭐… 뭐야.
에 있었으면
이나 걸지….

내가…
무슨 나쁜
짓이라도 했나?

하지만—
그렇게
빼기만 하다간
걔한테
차인다?

…….

저기—.
갑자기 이런 걸 묻는 건 좀 뭐하지만….

응? 뭔데?

신이치가 옛날에 비해 아주 많이 변한 것 같지 않아?

아니… 옛날 비해서라니
나야 옛날 일을 모르니 알 수 없지. 누구처럼 맨날 보는 사이도 아니고….

네가 처음 만났을 때랑 지금이랑….

…….

…전과는 달라.
…얘기를 해보면
이상하진
않지만….

좋아
하지?

…싸움
이라도
했어?
…….

내 생명의
은인이기도
하니….

아…
아냐….

꿈…?

생명의
은인?
헤헤… 너도
그런 꿈을
꿨니?

나는 모르겠는데?
원래부터 저렇지 않았어?

걔는… 왠지 모르게 굉장한 데가 있거든.

…….

나한테도 찬스는 있나 봐….

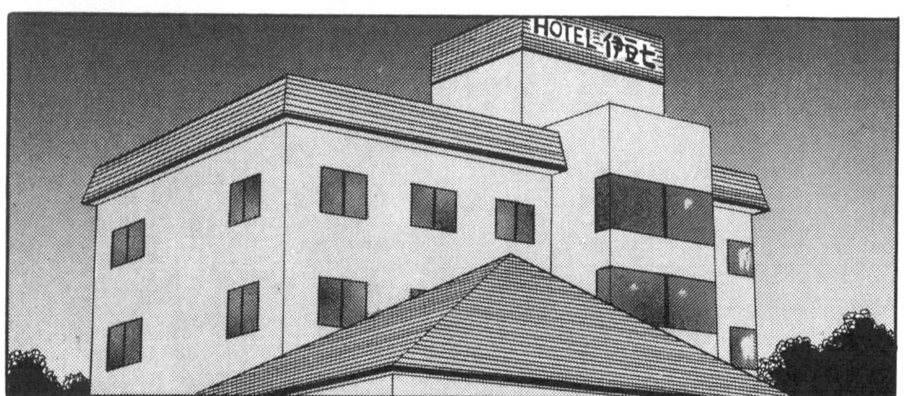
HOTEL

대욕탕

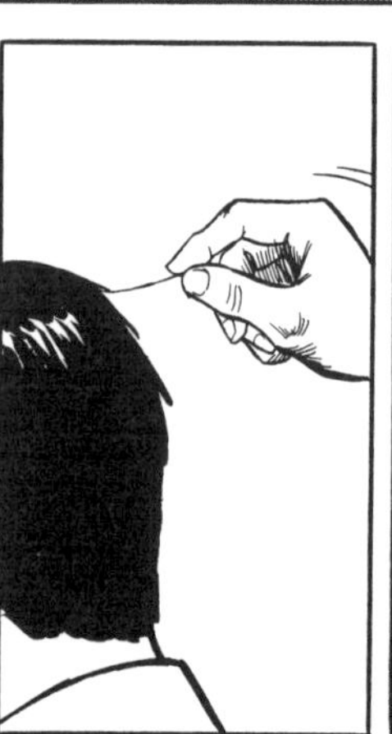

아야!
틱

종업원들 중에
좀 예민한 친구가
있어서….
아닐세,
우다군.
그… 뭐냐,

…….

…….

너무하시네요,
지배인님―.
절 그렇게
보시는 겁니까?

자네가 혼자 이상한 소리를
중얼거린다느니…
커다란 입에 송곳니가
돋아 있는 걸 봤다느니 하는 바람에
나도 난처해서…
하하!

너무 그러지
마십쇼….
와하하하하하.

아냐 아냐, 천만에!
자네는 아주
잘하고 있어!
그렇고말고.

우두둑

후―
…….
쾅

방심하면 안 되겠어.
하지만 머리카락으로 분간하고 있다면 우리나 신이치들한텐 차라리 잘된 거지.

흠… 그나저나 그 애는 잘 있을까?
요전번 사건으로 신이치도 많이 놀랐을 텐데.

글쎄올시다…. 정신력으로 보면 너 같은 것보단 개가 훨씬 나아.

뭐야? 너 같은 것이라니!
인간들이 여기저기에서 서로 머리카락을 뽑고 있다. …그러나 대개는 아무 일도 일어나지 않았다.

그러나 아주
가끔은….
어머머!
가토 씨도 참!
…어머나,
똑바로 못 걷겠네.

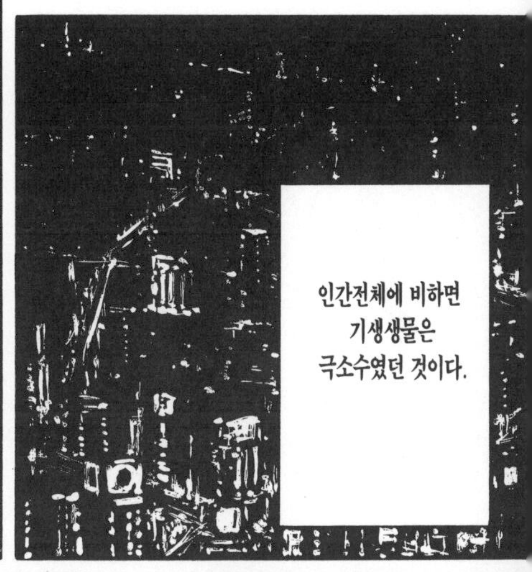
인간전체에 비하면
기생생물은
극소수였던 것이다.

어디야?
여기….

어머?!
세상에나―!
가토 씨가
아니잖아!
어떻게
된 거지?!

공원입니다.
…바람을 좀
쐬는 게
좋을 것 같아서.
끄윽…

아, 죄송합니다.
당신이 갑자기 내 팔을 잡고 끌어당기는 바람에….

아하하하하! 미안해라.
내가 너무 취했나 봐요.

하지만… 자기, 우리 가토 씨보다 미남이네… 끄윽.

괜찮으세요? 저쪽으로 가면 바로 지하철역이 나옵니다.

그럼 저는 이만.
잠깐요!

…….
그렇게 서두를 것 없잖아?

하하하…
무슨 말씀을.

으응.
꼭 조각 같아.
이거 조각 맞지?
응….
자기 얼굴 참
잘생겼다.

자기,
이거 알아?
?

왠지 거짓말
같네….
쓰윽…

…….

하항~,
미안─.
세 가닥이나
뽑혔네?

턱
아….

끼익…
쩍
쩍

아— 이거
안 되겠네.
세상에…

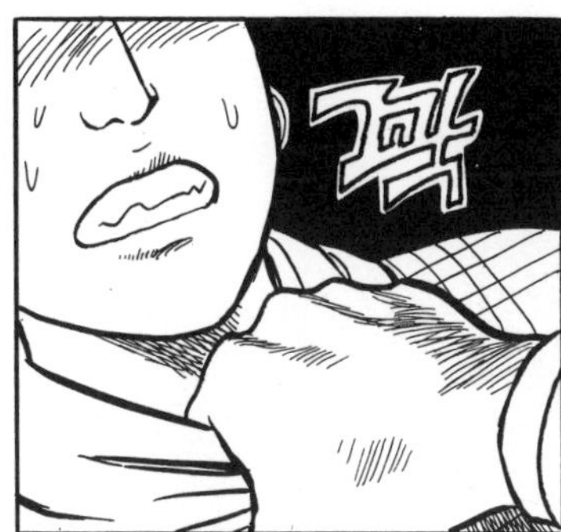
꽉

서… 설마…
진짜로
있었다니….
저, 저기
장난이지…?!

안 돼!
난 안 봤어!
안 봤다니까!!
술김에 그냥
내가….
닥쳐.

엄마~!!

무움칠

힉!

우지직

…….

부스럭

뭘 하는 거지?

가까이에 「동족」이 있어서 다행이다.
좀 도와 주겠나?

알코올 기가…
아… 조금….
…하지만 대단한 양은 아니다.

부탁한다. 갑자기 발각되는 바람에.

머리카락 으로?
그래.

부주의했군….
그걸 아는 사람은
만나지 말았어야지.

알고 있어.
하지만 할 수 없었다.
취한 인간은
생판 모르는 남한테도
장난을 치곤 하니까.

하지만 아무래도
알코올이 든 것은 먹기 싫군.
알코올을 흡수하면
인간의 머리로 돌아가도
자기도 모르게 형태가
무너져 버릴 수 있으니까.
우걱 우걱
…앞으로
조심하지….

제26화 —끝—

제27화 연 습

여기가 좋겠군….
세워 줘.

끼…

여기서부터는
걸어가지.

그나저나 좀더
평범한 모습으로
다닐 수는 없어?

이게 움직이기도
편해.
어차피
더러워질 텐데 뭘.

흠…
그건 그래.

15분 내지
20분이면
돌아올 거야.

뭐야?
…이 안에
몇 명이나
있어?

다치기 전에
냉큼 꺼져!

뭐어…?
이게 미쳤나?

있지.
가끔~
뽀드득

…….

역시….
야쿠자는
호전적이군.

너처럼 세상살이가
행복해 죽겠다는
낯짝을 한 놈을 보면
왠지 한 수 가르쳐 주고
싶어지걸랑?
까르르
르르…

똑똑히 배워 둬라,
응?

뭐야,
이건!!

드르륵

밖에?

?

퍽
억

푸학

휭악

뭐야?!
이 자식….
털썩

척
척

콰광

철컥

타앙

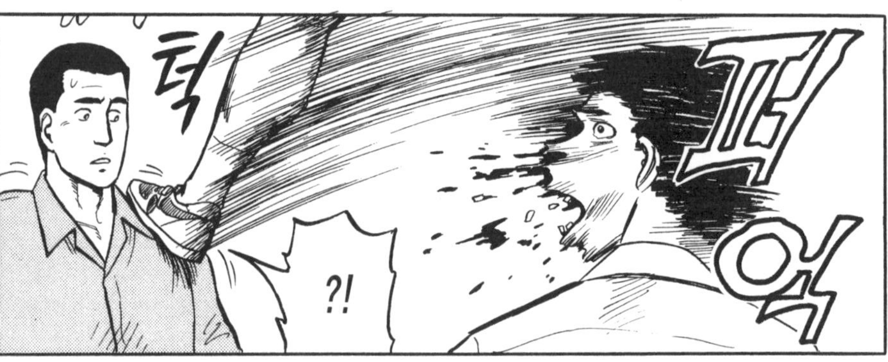

턱
?!
퍼억

콰악

흐억!

으아아아아아악!!

철썩
철썩

우와아아아아악!

푹
햑

타앙
타앙
푸

왜들
그러셔?

우아아아약

덤비라구.

야아압

퍼억
퍼억
콰직
뻐억
앙

엇?!
퍼
억

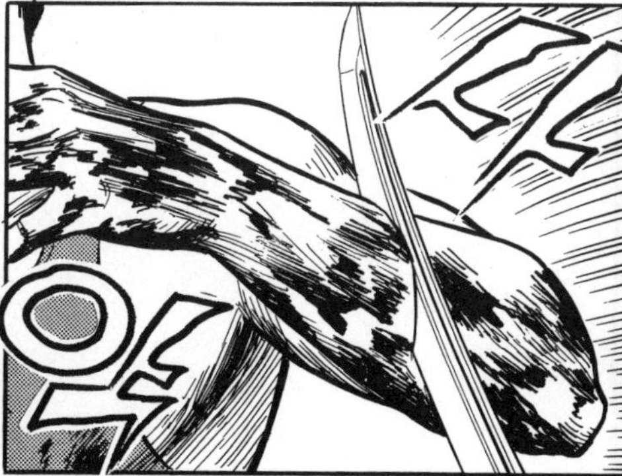

빠각
!

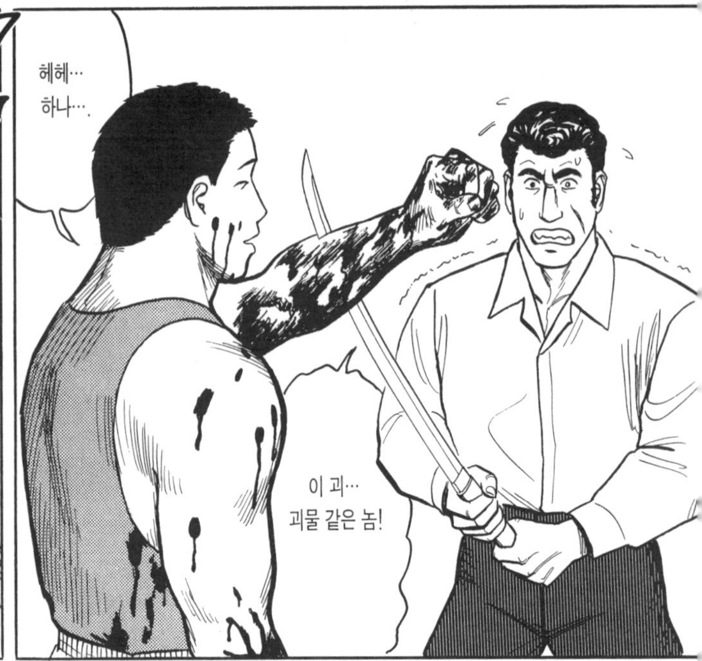
헤헤…
하나….
이 괴…
괴물 같은 놈!

우드득

우득…

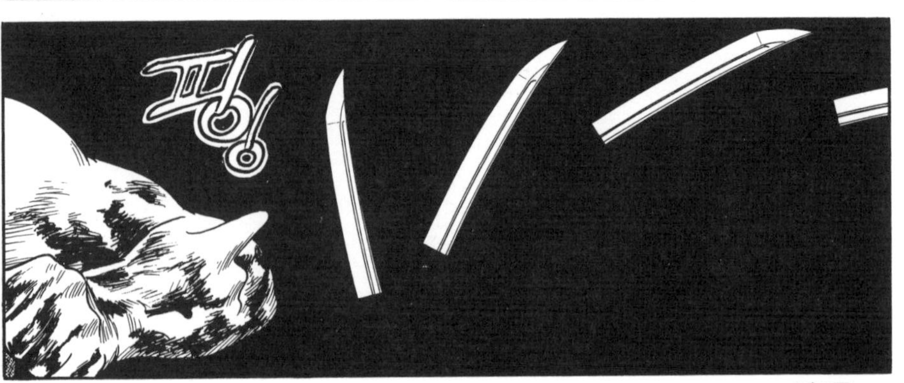

허…

타앙
타앙

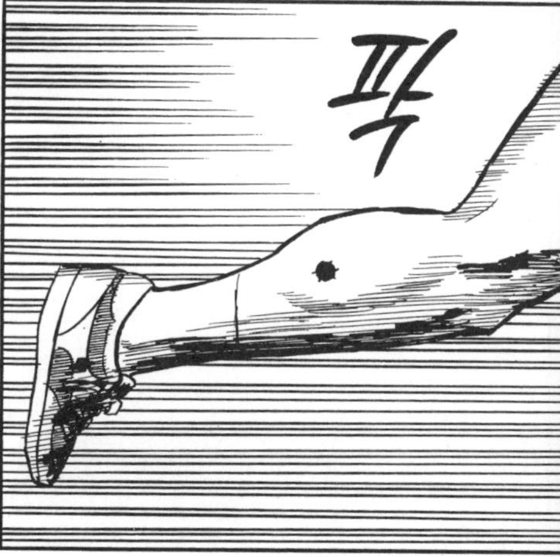
퍽

둘….

우둑

파악

빠악

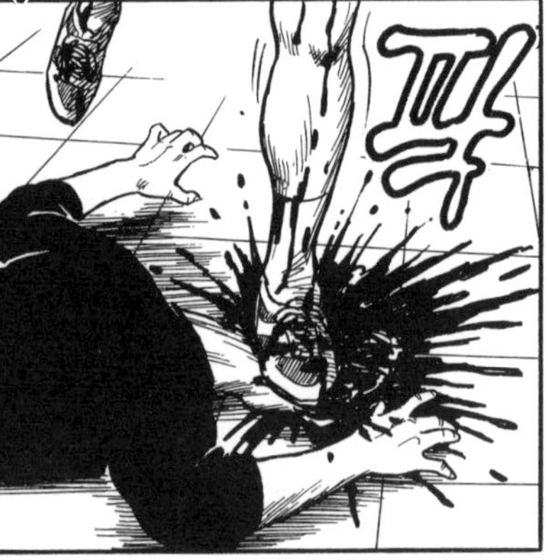

퍽

사악

히,
됐다!
히익!

셋… 이라?

히이이익~!

세,
세상에…!!

으아아아악!!

……
으어어……
이걸로 피하지
못한 게 셋….
하긴 뭐,
이 정도겠군.

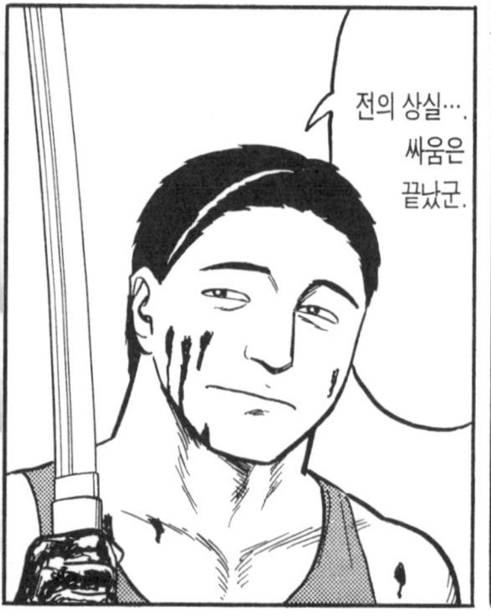
전의 상실….
싸움은
끝났군.

괴…
괴, 괴물….

악!

끄아악!
촤악

그리고 또…
살아 있는
놈은…?

으악!
푹

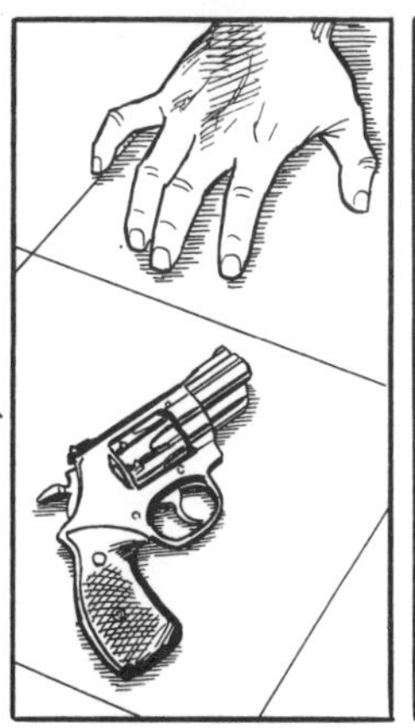

저걸…

이건 실험이다.
내가 한 것치고는
잘해낸 것 같군.

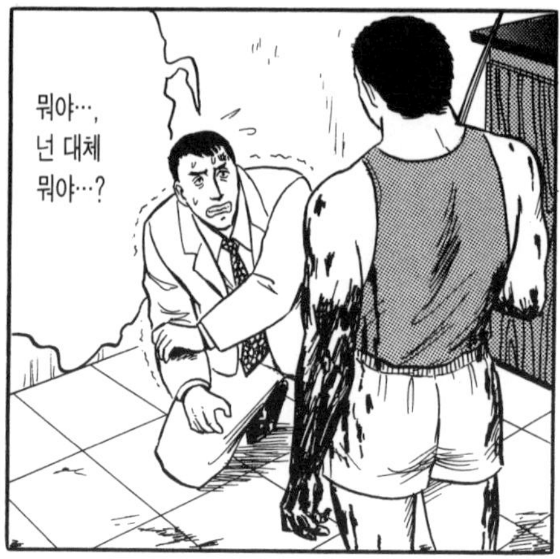
뭐야…,
넌 대체
뭐야…?

당장 소규모 전투를
벌일 수 있는 상대로는
너희들이 제격이었거든.

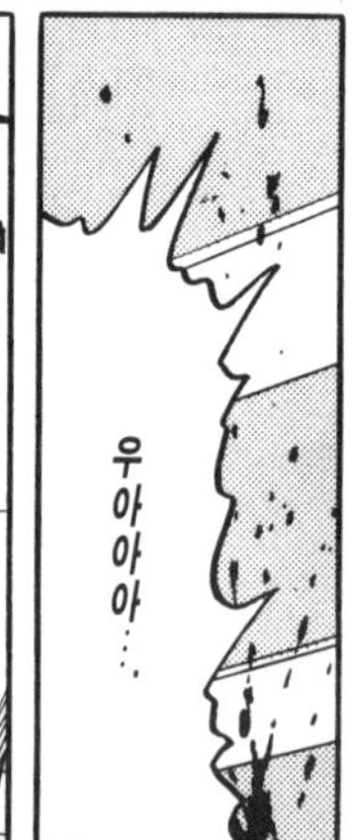
우아아아…

대체 누구의
사주를 받고….

드르륵

무슨 일이
났나요?
시체요.
머리가 찌그러져
죽은 시체가
자빠져 있습니다.
아까는
건물 안에서
총소리도….

나 왔다!
우아앗!!

저벅
저벅

휙
어, 도망간다!

잡아라!

타닥

어?
없네….

이상하다….
분명히
이쪽으로
왔는데…?
관두자….
야쿠자들 싸움에
끼어들었다간
큰일나.

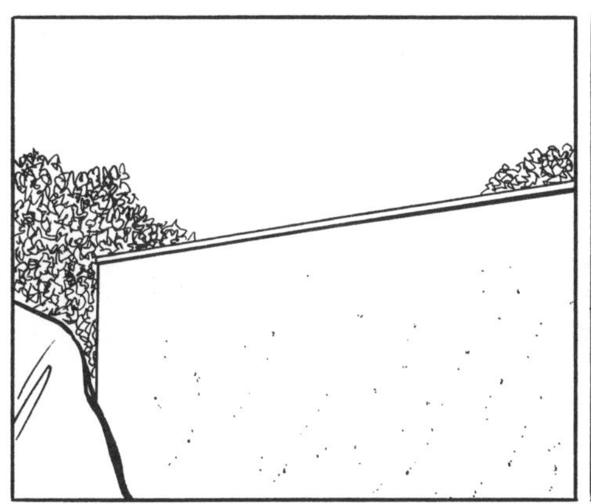

성큼성큼
경찰을 불러야
하지 않을까?
누가 벌써
불렀겠지 뭐.

콰악

철컥

아니…
조금 전과는
완전히
딴판이어서.

왜 그래?

…….

부르르릉

이만하면
평범한 모습
아닌가?
그렇군.

현재로서는 대립하는 폭력조직들 간의 영역 다툼으로 보입니다만 대검에 의해 살해당한 것으로 판단되는 몇 명을 제외하면 대부분 둔기에 의한 타살이라는 흔치 않은 방법을 사용하고 있으며, 범인의 인원수 및 목적 등에 대해서는 전혀 밝혀지지 않고 있습니다ㅡ.
보너스 세일
¥108000

아예 싹쓸이를 했군…. 이거 엄청난 사건인데—?

하지만 기생생물은 저런 식으로 사람을 죽이진 않는데….
……,

으익?!

아…
헤헤헤….
…….

…?

휴—,
깜짝 놀랐네.

뭐야!
언제까지
TV나 보자는
거냐?
조금만 더.

—또한
시경 본부에서는
조금 전
긴급 기자회견을
열어—.

—현장에서 도주했다는
신원불명의 남자에 대해
많은 목격자의 증언이
들어와 있으므로
가능한 빠른 시간내에
몽타주 사진을
만들어 공표할
예정이라고 합니다—.
…….
몽타주라….

요란하게도
했군.

좋은 운동이
됐습니다,
보스….

그런데
타무라 레이코는?
요즘 통
안 보이는데.
「출산
휴가」라서.
아아…
그렇군.

제27화 —끝—

월간 **애프터눈**

독자페이지에서 ……… Vol. 7

「대사 하나하나가 가슴을 찌른다. "혹시… 너는 강철로 되어 있는 것 아니냐…?"
이렇게 슬픈 말이 있다니….」(교토. 오페라인간 19세 학생)

「대사를 결정할 때는 너무 부자연스럽지 않도록 조심합니다.
멋진 대사에 맞추어 스토리를 진행하는 것이 아니라 이야기의 흐름에서 자연스런 대사를
말하도록 하는 것이죠. 앞으로도 대사는 너무 멋부리지 않으면서,
그러나 결과적으로 인상에 남도록 하고 싶습니다.」
(이와아키 히토시)

애프터눈 '91년 6월호에서

「표지에 나온 유이 박사의 매드 사이언티스트 같은 웃음이 섬뜩해서 좋다.
앞으로의 활약이 기대된다.」(효고 현. IQ 300 학생)
「그 생물학자의 눈이 신이치보다 훨씬 위험하다고 생각하는 것은 나뿐이 아닐 것이다.」
(효고 현 야쿠가미 소사. 18세 학생)

「뭔가에 열중한 사람의 모습은 아름답다고 하는데, 이번에 등장한 유이 선생처럼 지나치게 열중하여
주위나 자신을 돌아보지 못할 지경이 되면 반대로 섬뜩하게 느껴집니다.
보다 좋은 사회를 만들기 위해서는 여러 가지 다른 세계 사람들의 이야기를 듣는 것이 중요합니다.
우익도 좌익도 종교도 진화론도 서로 기분 나쁘지 않을 정도로 해 달라고 부탁하고 싶습니다.」
(이와아키 히토시)

애프터눈 '91년 11월호에서

월간 **애프터눈**

독자페이지에서 ……………………………………………… Vol. **8**

「다음호를 쉰다는 것은 편집자와 싸웠다는 뜻이 아닙니다.
〈기생수〉는 한 회마다 스토리를 생각하는 게 아니라 이야기의 흐름에 따라 3회, 5회분씩 나누어 구체적인 시나리오를 쓰고 있습니다. 그런데 다음부터 전개가 아주 커질 것 같아서 생각할 시간이 필요해진 것입니다. 양해 바랍니다.」(이와아키 히토시)

애프터눈 '92년 4월호에서

「인간은 자살을 많이 하는데, 기생생물들은 무슨 일이 있으면 필사적으로 대응한다.
인간은 자연계에서 가장 정신적으로 약한 생물이 아닐까?」(이시카와 현. 바바성인 19세 학생)

「분명 자살해 버리면 끝이지만, 나는 정신적인 약함이야말로 인간의 매력이라고 생각합니다.
예를 들어 작품에서 용감한 영웅을 그릴 경우,
주인공의 마음에 약점이 있으면 있을수록 그 [용기]가 크게 표현되죠.
처음부터 강한 사람은 어디까지나 [강자]일 뿐, [용감한 자]가 될 수는 없습니다.」
(이와아키 히토시)

애프터눈 '92년 6월호에서

독자의 질문에 작가가 대답했다

제28화 평화로운 날

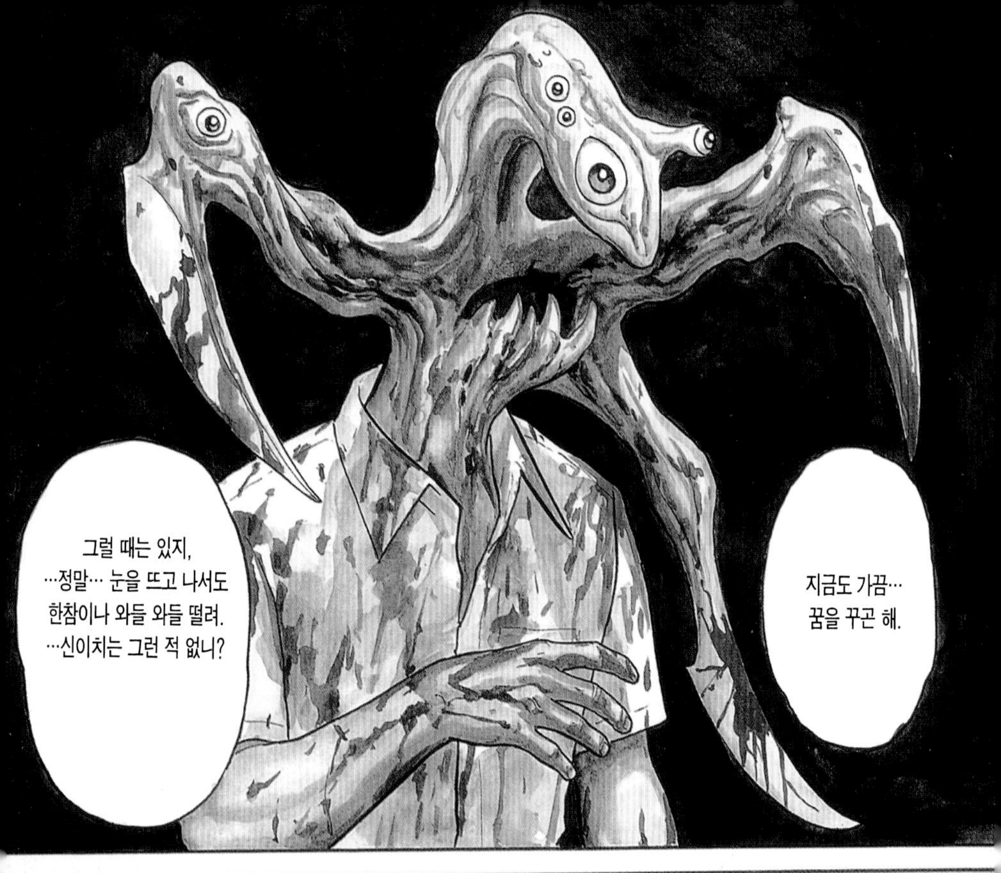
지금도 가끔…
꿈을 꾸곤 해.
그럴 때는 있지,
…정말… 눈을 뜨고 나서도
한참이나 와들 와들 떨려.
…신이치는 그런 적 없니?

가끔 있긴 해….
그래도 아침이 되면
싹 잊어버리니까….

좋겠다….

괜찮아….
곧 잊어
버리겠지….
……..

내 꿈은 언제나
너무 생생해서…
그만 기억에
박혀 버리거든.

이건 내 친구가
하던 말인데….

…….

인간을
소나 돼지나
물고기랑
같은 선에 놓고
보라는 거야.
그러면 인간은
살해당한 동물들의
토막난 시체 조각을
매일 먹는 셈이니까….

새삼스레
무서울 것도
없잖아….

응….

좀 별스럽구나.
그 친구
…어떤 애야?

응…
어떤 애라기
보다….

그 친구의
영향일까…?
신이치가 요즘
변한 것도.

꼭 그렇지도…
않은 것 같은데.

아….
미안해,
저기….
변했다고는 해도
그리 신경쓸
정도까진….

…….

그때부터야,
역시….

혹시 신이치는
그때 훌쩍
떠나버린 채,
아직….

시… 신이치….
언젠가 여행지에서
아버지가
다치셨을 때….

그만 가자.

…….

역시 묻는 게…
아니었는데.

어머,
귀여워라.

이리 온,
이리 온.

탁

타다닥
타다닥

어머?
…어어.

엄마인가
봐?
그런가
보지.

집 없는 개인가?
…목걸이가
있는 걸 보니
그건 아닌 것
같은데….

신이치….

후아….
오늘은 날씨 한 번
좋구나―.
덥지도 않고,
춥지도 않고.
뭐야아~.
할아버지같이.

후우….
엄마아~!

빨리 오렴…

엄마아~!
같이 가… 엄마!

어엄마~
힘내, 꼬마야!

빨리….

엄마 바보!

엄마는
바보야!

왜….

엄마아~!

엄마가 왜
「바보」니…?
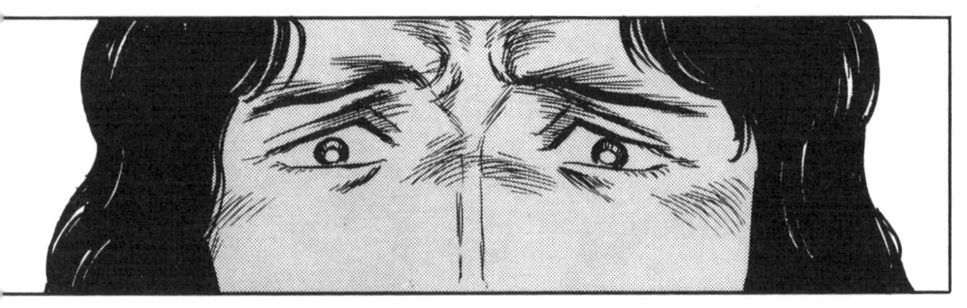

…….

엄마도·
엄마라고
말이야….

털썩

신이치…?
후-

괘… 괜찮니?!
헉
헉

구멍이…
구멍이
뚫렸어….

아….
아?

구멍…?

으…응.
갑자기 숨이
막혀서….

왜 그래?
어디 아프니?

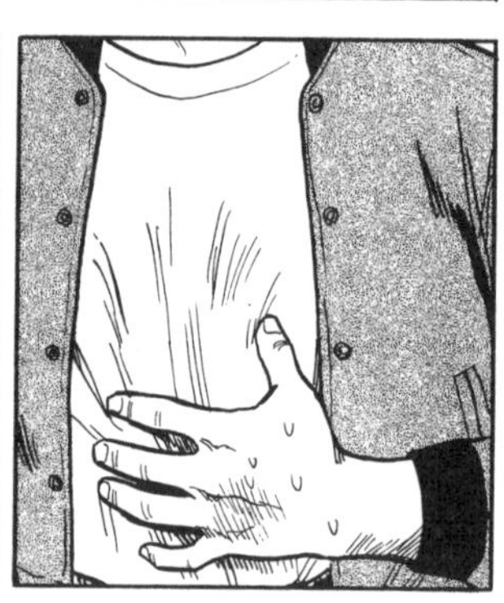

…….

…….

나 참~.
뜬금없이
무슨 소리야!

…벌써
갈 때가 됐나?

이따금…
몸이 갈가리
찢어지는 듯한 느낌에
사로잡힐 때가 있다.
하지만 그것은
몇 분만 지나면
싹 낫곤 한다.

그럴 때면 오른쪽이의
일부가 내 마음에까지
쉬여든 것 같은
느낌이 든다.
그게 좋은 건지
나쁜 건지는 몰라도….

그래도 나는
이 애가 좋다….
소중히 여기고
있다.

그것은
틀림없는
나만의
마음이겠지.

내가 이 애와
정답게 지내고
있을 때면…

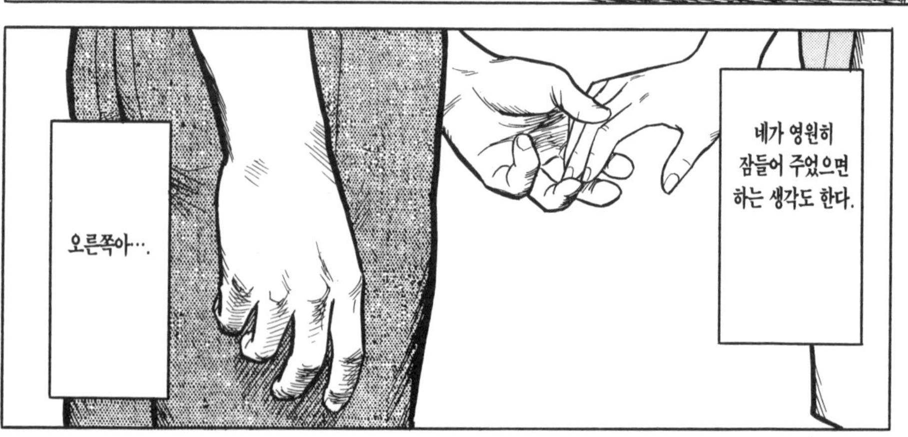
네가 영원히
잠들어 주었으면
하는 생각도 한다.
오른쪽아….

너…
틀림없이 신이치… 맞지?

좀더 일찍….

좀더 일찍
친해졌더라면…

바로
지금도…
네가 틀림없는
신이치라는
것을….

오늘도
평화로운
날이었어ー.
지이ー

!

앞쪽 칸에
「동족」이
타고 있다.
…약 두 놈이.

그건 왜?
다음 차를 타는 게 좋겠어.

신이치.

프슈우욱

…….

어쩌자고 탔어?
도망칠 필요가 어디 있어? 뒤를 밟았다가 자칫 싸우게 되면 해치워 버림 그만이지!

둘을 상대로?

지금 막 느꼈는데 우리 꼭 기타로랑 눈알 아버지 같다
그게 뭔데?

아… 상대편도 우릴 알아차린 것 같아.

하지만 전혀 움직이지 않는다…. 우리에게 별 관심이 없는 모양이군.

그 둘끼리는 끊임없이 반응하고 있다. …대화를 하고 있나 봐.

쫓아가서 어쩌려고?
살인을 그만두게 만들 거야.

…전혀 구체적이지 않군. 싸울 생각이야. 아니야?

아, 내린다.
나는 재미삼아 이러는 게 아니야!

흠… 하긴, 언제든 달아날 준비를 하고 미행해 보는 것도 재미있겠군.
물론 싸우지 않고 끝낼 수 있다면 그편이….

척

어라, 여기는… 우리집에서 겨우 두 구간 거린데!
기이잉
쿵

그리고 저들과 200미터 이상 떨어질 때까지 기다려.

얼굴은 보이지 않는 게 좋아.

거기서 오른쪽…, 아니, 그 앞골목에서 오른쪽으로.
대체 어디로들 가는 거지…?

개혁해야 하는 것은 우리 한 사람 한 사람의 의식입니다.
누가 연설을 하나….
아…, 한 놈 더 나타났다.
뭐야?!

셋..
아니
야, 야! 대체 몇 놈이나 있다는 얘기야!

잘 모르겠지
연설하는 소
들리는 쪽
…….
현재 환경 보호에 대한 범지구적 논의는 유행처럼 번지고 있습니다. 그러나 구체적으로, 개인의 힘으로 무엇을 어떻게 할 수 있는지, 현실적으로 어디까지 실행되고 있는지는―.

괴물들이 그렇게 모여서 뭘 하는데? 연설이라도 듣는 거야?
몰라.

그럴듯한 구호에 비해 실천은 극히 미미하다는것을 부정할 수 없습니다.

공기 오염을 조금이라도 줄이기 위해 자가용을 버리는 사람이 있습니까?
저쪽이구나!

잠깐!

너는 얼굴을 바꿀 수 없으니까 놈들에게 발견되면 위험해.

내가 대신 보고 오지.
야, 임마!

그래도 기다려 봐!
적어도 상대측의
인원수와 위치 정도는
파악해야지.

이런 데서 위험하게
꿈틀거리지 말
지난번처
사람들 틈
섞여 있으면 되잖

사람은 눈앞에 편한 길이 보이면
그곳으로 가고 싶어하기 마련입니다.
지금까지 밟아 온 문명의 길을
되돌아가기란 지극히 어렵겠지요.
허나 어느 정도로 돌아가지 않으면
전 지구가 위험해집니다.

타성에 젖는 것은
인류의 미래가
보이지 않기
때문입니다.

아직도
놈들은 한자리에 모여 있어….
그 때문에 신호가 뒤섞여
정확한 인원수를
파악하기 어렵다….

알았다!
거리는 약 60미터.
높은 위치…
연단 같은 것 위에 여섯 명,
땅 위에 두 명이다!
여덟
마리나…!

시장 후보
히로사와 다케시

비관적인
미래상을 보이며
「조금만 있으면
이렇게 됩니다」하고
협박하면서
효과를 얻는 방법도
있지만,
저는 도리어
「이렇게 하면 이만큼
아름다운 세상이
옵니다」하며
아름답고
이상적인 미래를
보이고 싶습니다.
물론 그것은
누구라도
납득할 만한
현실적인 것이어야
하겠지요.
시장 후보

단 위에 여섯….
저것들이 몽땅?

그리고 밑에도 둘….
이 거리에서는
나도 어떤 놈인지 모르겠어.
…눈이 마주치면
알 수 있을지도….
그러면 당장의 편리함에
매이지 않게 되어
먼 곳으로 눈을 돌릴 수도
있을 것입니다….
또 생각할 여유가
생길지 모릅니다~.
일개 시장후보 주제에
무슨 건방진 소리냐… 하고
여기실지 몰라도,
환경문제에 대해서는
국가 단위로 생각하기보다
우선 한 도시 단위로 생각해야
현실적이고도 실용적인 시나리오를
그릴 수 있는 것 아닐까요?
…환장하겠네!
어쩔 속셈이지?!
기생생물이
시장
후보라고

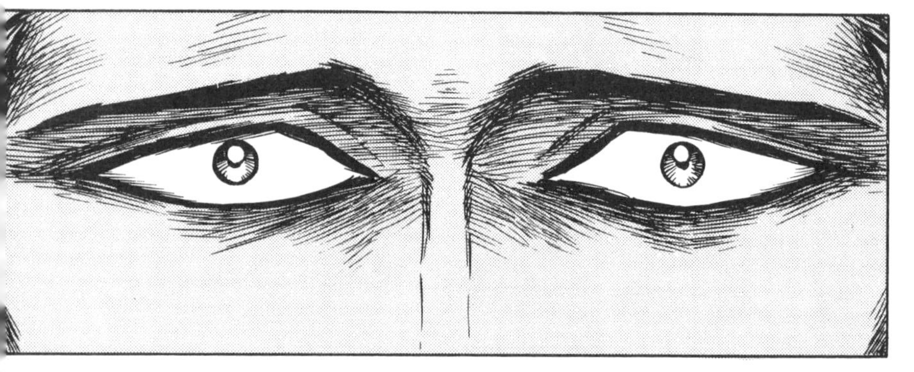

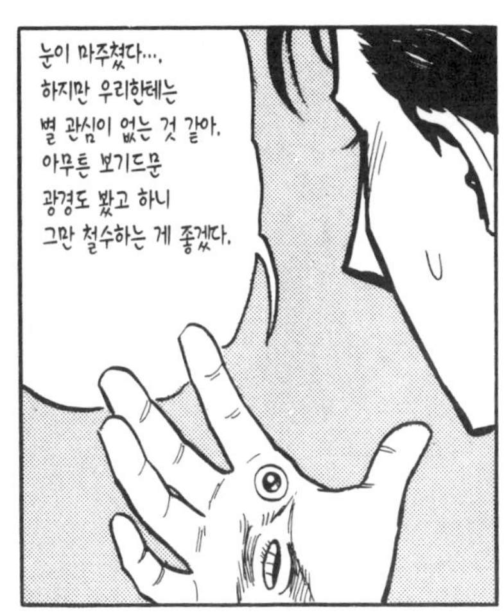
눈이 마주쳤다….
하지만 우리한테는
별 관심이 없는 것 같아.
아무튼 보기드문
광경도 봤고 하니
그만 철수하는 게 좋겠다.

아냐….
이렇게 사람이
많은데.
으…
들켰나?!
들켰어.

한 도시의 작은 움직임으로
무얼 할 수 있느냐고 하실지 모릅니다.
그래도 우리 시의 인구는 50만입니다.
50만이 움직이면 적어도
바람을 일으킬 수는
있지 않겠습니까!
괴물 주제에
사람을 모아 놓고
연설을 해?
기가 막혀서!

!

짝 짝 짝 짝 짝 짝 짝 짝
박수치지
마!

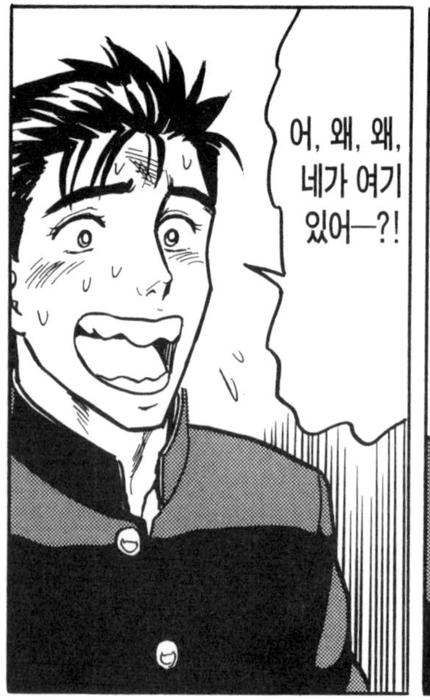
어, 왜, 왜,
네가 여기
있어—?!

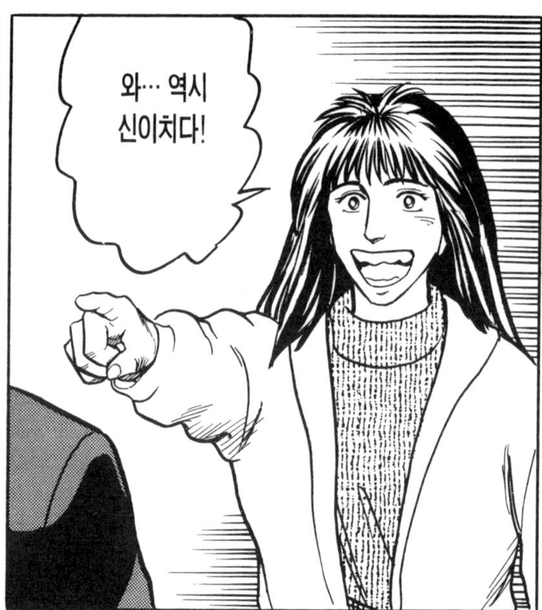
와… 역시
신이치다!

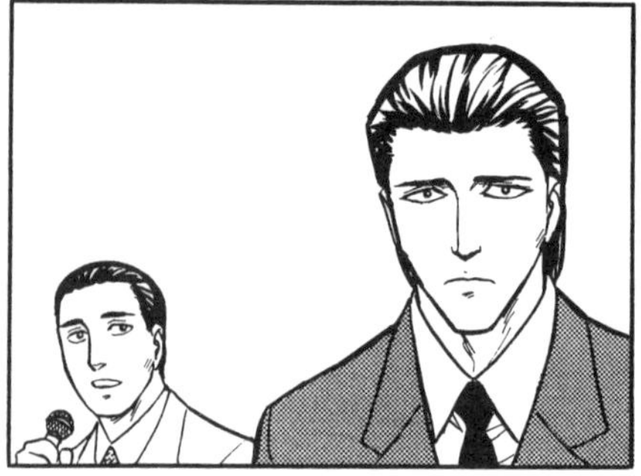

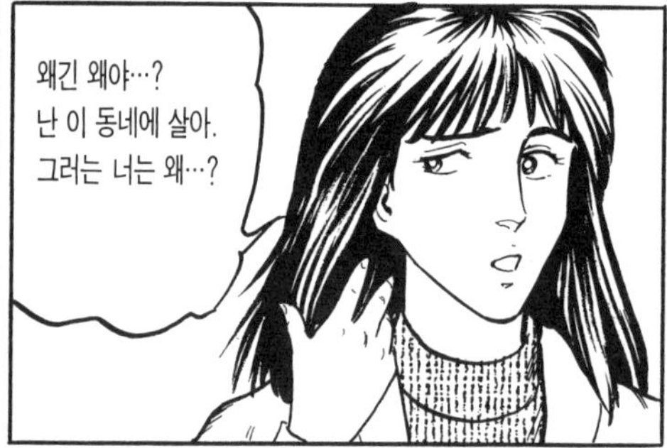
왜긴 왜야…?
난 이 동네에 살아.
그러는 너는 왜…?

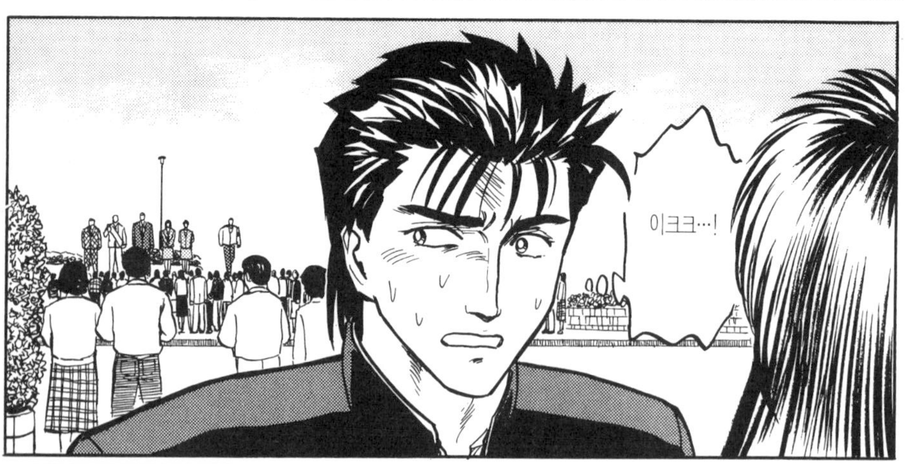
이크크…!

제28화 —끝—

—— 제29화 —— 카 나

별별 것이 다 나오는군.
타미야 료코의 「교사」도
상당하다고 여겼는데
이번에는 「정치가」라니….

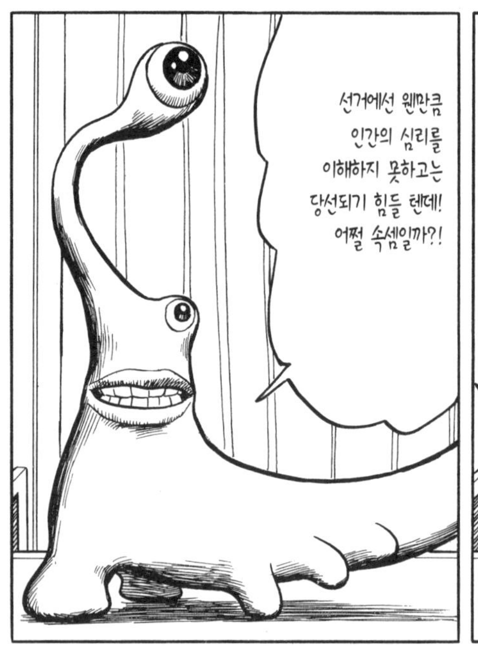
선거에선 웬만큼
인간의 심리를
이해하지 못하고는
당선되기 힘들 텐데!
어쩔 속셈일까?!

…….

당선될 턱이 있나….
곧 괴물의 탈이
벗겨질 텐데….
아니, 잠깐.
바로 염동네라면―.

나도 본받아야겠군.
그놈은 엄청나게
학습을 했을 거야.

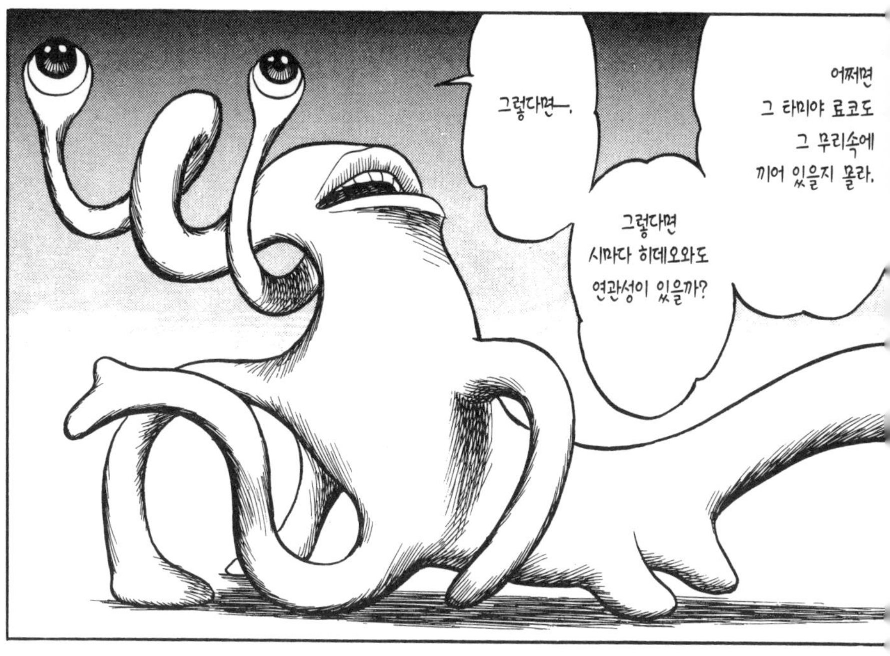
어쩌면
그 타미야 료코도
그 무리속에
끼어 있을지 몰라.
그렇다면―.
그렇다면
시마다 히데오와도
연관성이 있을까?

이 자식 꼴 하고는….
흥분해서
제정신이 아니군.

그놈의 목적이
뭘까?

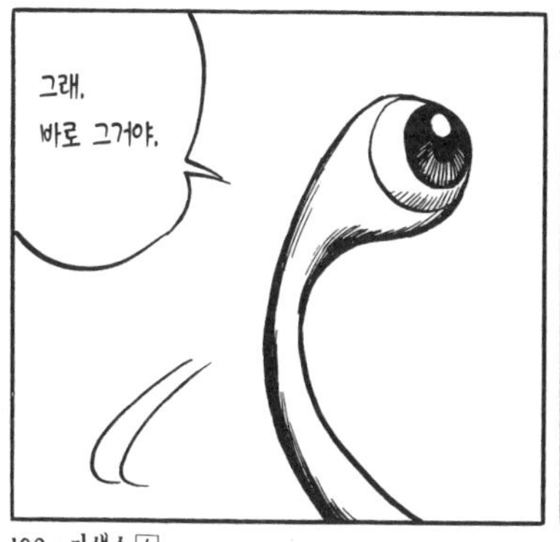
그래.
바로 그거야.

우선 첫째… 인간인 척하고 인간에 대해 배워가는 중 정말 정치에 관심을 갖게 됐다면…? 그 연설은 꽤 훌륭했어.
사회와 인간을 위해 정말 훌륭한 시장이 될 수도 있겠지.
시장 후보 히로카

말도 안 돼!

…두 번째로 생각할 수 있는 것은 기생생물들이 있을 장소와 식량의 확보다.

식사를 한 후 그 시체를 아무리 잘 숨겼다 해도 그 과정에서는 역시 실종자가 나오게 되고, 때로는 사회적 지명도가 높은 인간을 해칠 가능성도 없지는 않아.
그러면 큰 소란이 일어나겠지.
어제 괴물과 격투를 해서요.

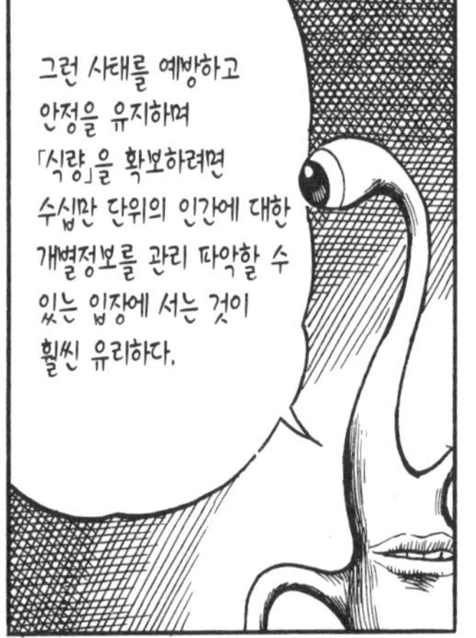
그런 사태를 예방하고 안정을 유지하며 「식량」을 확보하려면 수십만 단위의 인간에 대한 개별정보를 관리 파악할 수 있는 입장에 서는 것이 훨씬 유리하다.

그래서 정치에 대한 것을 어깨너머로 배웠다.

너무 빨리 말해서 잘 못 들었지만 후자 쪽이 더 그럴듯한데?
나도 이쪽이라고 생각해.

그 광장에서만
여덟 마리가 있었어…
그렇다면 패거리
더 있을지도 몰

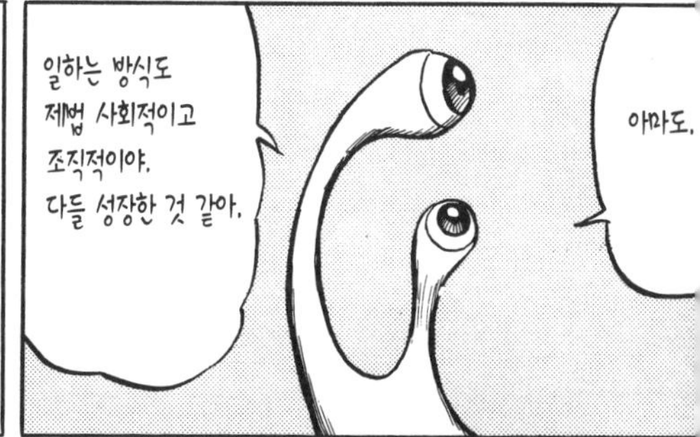
아마도.
일하는 방식도 제법 사회적이고 조직적이야. 다들 성장한 것 같아.

성장해…?!

이것들이…!

하지만… 모여 있다면…
바로 옆동네에!

뭘하니? 이런 곳에서….
혹시 날 보러 온 거야?
설마 아니겠지만.
……. …….
잠깐만 저기서 얘기 좀 하자.
응? 왜 그래?
내가 왜 여기에 왔냐고? 글쎄….
왠지 네가 있다는 느낌이 강하게 들어서.
실… 너만은 아니지만….
저기 모여 있는 사람들 보이지?
저 중에서도 그래…. 4~5명 정도는….
…….

4~5명이라
오른쪽이는 시
좀 걸렸
분명히 8이라고
그럼 그 애가 기생생
신호를 느끼는
「동족끼리」만
아니라는 건가

하지만… 위험하긴
마찬가지야!
이대로는 그 애가
너무 위험해!

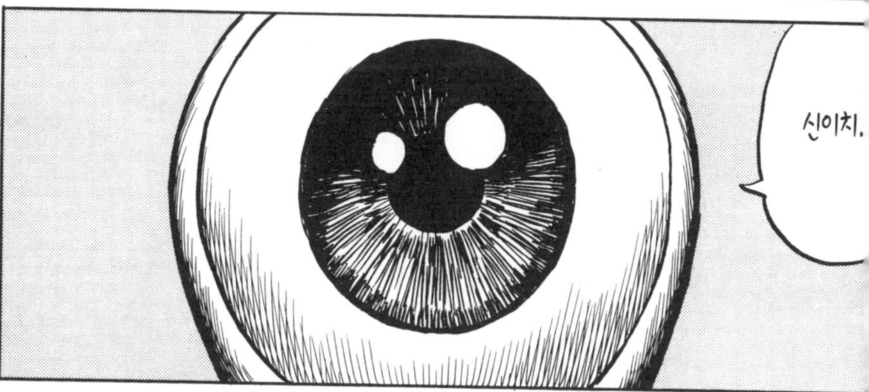
신이치.

우악!!

무슨
생각해?
아, 아냐!
허유~,
깜짝이야.

무슨 생각을 하건
내 맘이야!
나도 「머리」는 있다고!

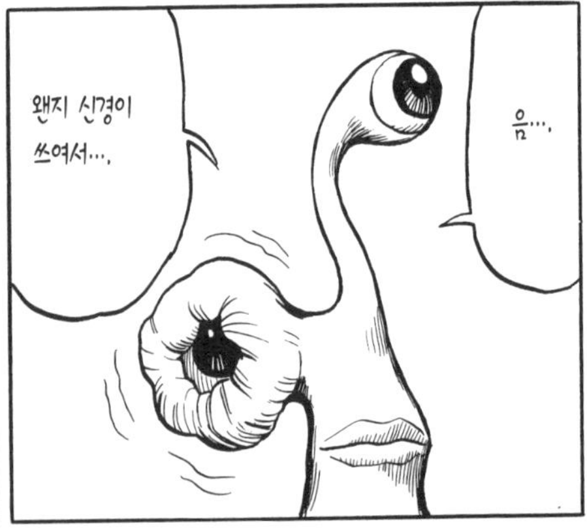
음….
왠지 신경이
쓰여서….

…….

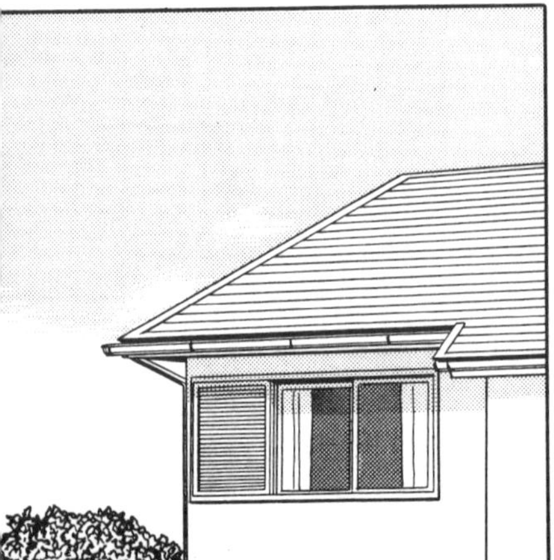

기이이—

히로카와 다케시
환경을 우선으로 생
시장후보
나로서는 별로 개입하고 싶지 않아…. 싸워봐야 승산도 없고….

나도 싸우려고 온 건 아니야.
저놈들 패거리가 얼마나 되는지 알고 싶은 거지.

수를 헤아리는 건 무리야.

대강 느껴만 줘.

한 마리 한 마리한테 일부러 접근하지 않아도 거리를 걷다보면 부딪힐 것 같아서.

오른쪽이 너도 「동족들」의 성장패턴에는 관심이 있지?

그건 그렇지만….

어디야?

지금 찾아봐야
못 만날 거야.
그리 많이
모여 있는 것도
아니어서.

어머머머?

역시
너였구나—.
아….

요즘
자주
보네?

무슨 소리?
내가 너를
찾아내는 걸
잘 알면서.

…….
…….

물어볼 말이 있어.
중요한 얘기야.

!

지난번에도 말했었지? 너의 그… 일종의 초능력이라는 것 말이야.

특히 이 동네에서… 나 이외에도 그런 느낌이 올 때가 있니?
느낌이 와…?!

응….
하지만
가끔이야….
가 보면
딴사람이고.
그냥 지나가던
아저씨라거나….

…….

다시 한 번
말하는데,
그게 느껴지는
녀석들한테
다가가지 마.

그러니까
왜냐구!
요즘 시끌시끌한
패러사이트니
뭐니라도
된단 말이니?

그럼 너도
패러사이트란
얘기네?
그, 그건….

카나!

미츠오….

…….

카나한테
할 말이 있어.

진지하게 하고 싶은
얘기가 있는데
연락처를
가르쳐 줄래?
다음에
하자.

얘, 잠깐만.
그래…?
그럼 난 간다.

가까이 오면
내가 느끼고
달려갈 텐데.

어머,
무슨 소리!
뭐가 어째?
이게….

뭐야?!

하지만 몇 번이나
말한 것처럼…
나 이외에 느낌이
오는 놈일 경우도
있으니….

「나 이외에
느낌이
오는 놈」?
카나,
너…!
아… 알았어.
그럼 이 동네말고
학교 근처에서
만날까?

보자보자
하니까
이것들이!!

알았어,
그럼….

……
이거 봐,
카나!!
미츠오!
바보야,
왜 이래!

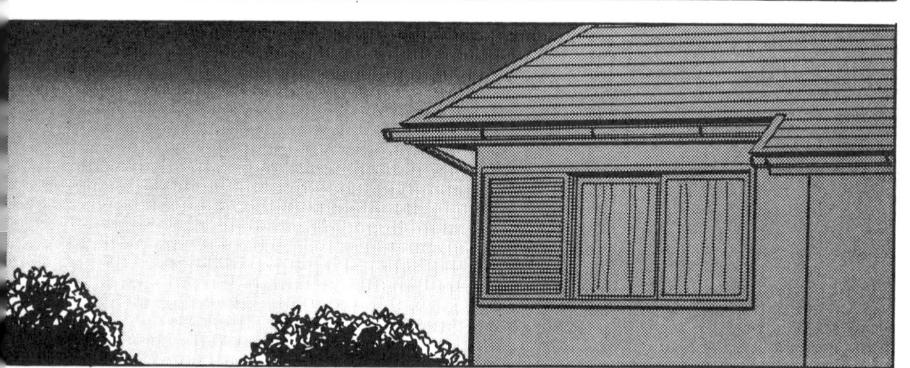

신이치…
신이치?

아까 그 여자한테 말한 「진지한 이야기」라는 게 뭐지?

혹시 오늘 진짜 목적은 그 여자를 만나는 거였어?
…그럼 어쩔래?

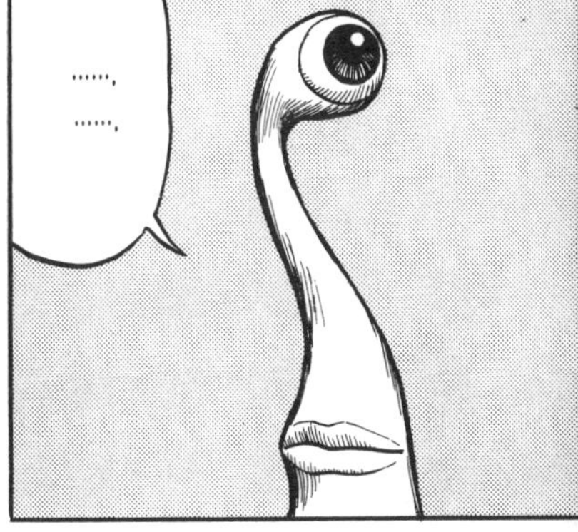
……,
……,

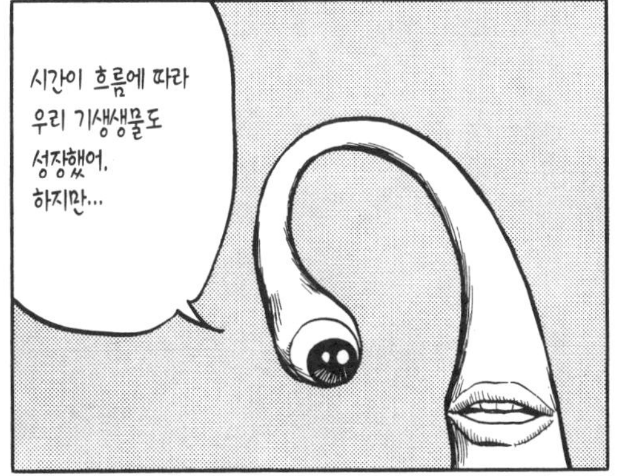
시간이 흐름에 따라 우리 기생생물도 성장했어. 하지만…

그 여자에게
괜한 소리를
털어놓을 경우….
그러면…
나를 굳이 위험하게
만들지 않길 바래.

인간이 말하는
「인정」이라는 감각은
결코 발생하지
않는다.
나도 알아.

내가 하고 싶은 말을 알겠다고?
자기 오른손이 아는 사람을
찔러 죽이는 모습은 보고
싶지 않을 거라는 말을
하려 했는데….

네가
하고 싶은 말은
알겠어.

…….
…….

응.

그거…
협박하는
거냐?

정말 인정머리라곤
손톱만큼도
없나?!
그러게
내가 뭐랬어.

후… 후후후….

그나저나
「진지한
이야기」라는 게
뭘까…?

또야….
이 근처에 있다!

물론
없을 거라고
생각은
하지만….

하지만 설마
이 늦은 시각에
신이치가 왔을 리가?

만약이라는 것이
있으니….

저쪽이다.

이제 곧
저 모퉁이로….

……. ……."

……?
다다다…

역시 아니였어.
게다가 여자.
흐음….

신이치와…
다른 사람들의 차이만
알 수 있다면….

하지만 공부는
안 해도 되나?
그거야
네 사정이지.

그럼 다음
일요일은?
아, 괜찮아.

그건
무슨 뜻이야?
아—아,
못해 먹겠네!

아…
왔어?

남은 애써
찾아왔더니만—.
아….

…….
…….

진지하게
하고 싶은 말이
있다며?
나·한·테!

그럼 어디 한 번
들어볼까나—?!

뭐, 지금은
무리겠지만.

슥

자!
내전·화
·번·호!
팍

그럼
또 보자구!
……

아… 아니,
이건….

아니,
정말 별일
아니래두.
으흥—?

우연히 길에서
만났는데,
으흥—?

그 있잖아,
북부고의
그 커다란 놈들 있지?
그놈들이 자꾸
집적거리니까
친구인 걔한테
뭐라고 한마디 좀….
으흥—?

아… 아니지,
저기,
실은
그게 아니라….

항상 지나칠 정도로 차분하니까… 사실은 이렇게 허둥대는 모습이 더 신이치답군….
아니 그러니까
……

으응!
임기 만료와 더불어 행해진 도후쿠야마 시 시장 선거 결과, 새인물 히로카와 다케시 씨가 전임시장 이마미 가츠유키 씨를 제치고 당선됐습니다.
히로카와 다케시(41)

히로카와 씨는 주로
지역사회의
환경문제를….
인간 수준의
지능을 갖춘
기생생물….
자신을
지키기 위해서라면
무엇이든 한다.

…그런 것을 모르는 편이
차라리 안전할지도 몰라.

하지만
카나의 경우는
달라!
탐지 능력을
가진데다
그 동네에
기생생물이
모여들고
있으니.

알려야 해….
그리고 완전히 이해시키지 않으면 안 돼!

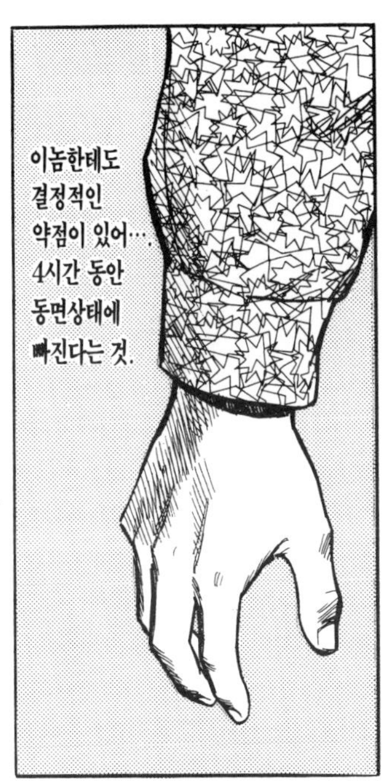
이놈한테도 결정적인 약점이 있어…. 4시간 동안 동면상태에 빠진다는 것.

문제는 오른쪽이인데….

여보세요….
응? 아냐, 별일 없어….

가급적 인적이 드문 곳이 좋겠는데….

뭐? 인적이 드문 곳? 그럼….

있어… 응. 나한테 맡겨.

LOVE
여긴….

응… 가끔 모임에
쓰는 곳인데…
낮에는
아무도 안 와.

응…
그럼 됐어.
그래서
무슨 얘기나
하면….

뭔데?

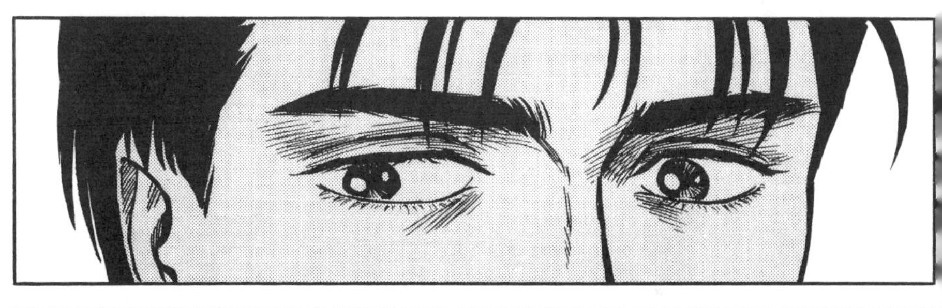

빠
악

제29화 —끝—

제30화
초능력

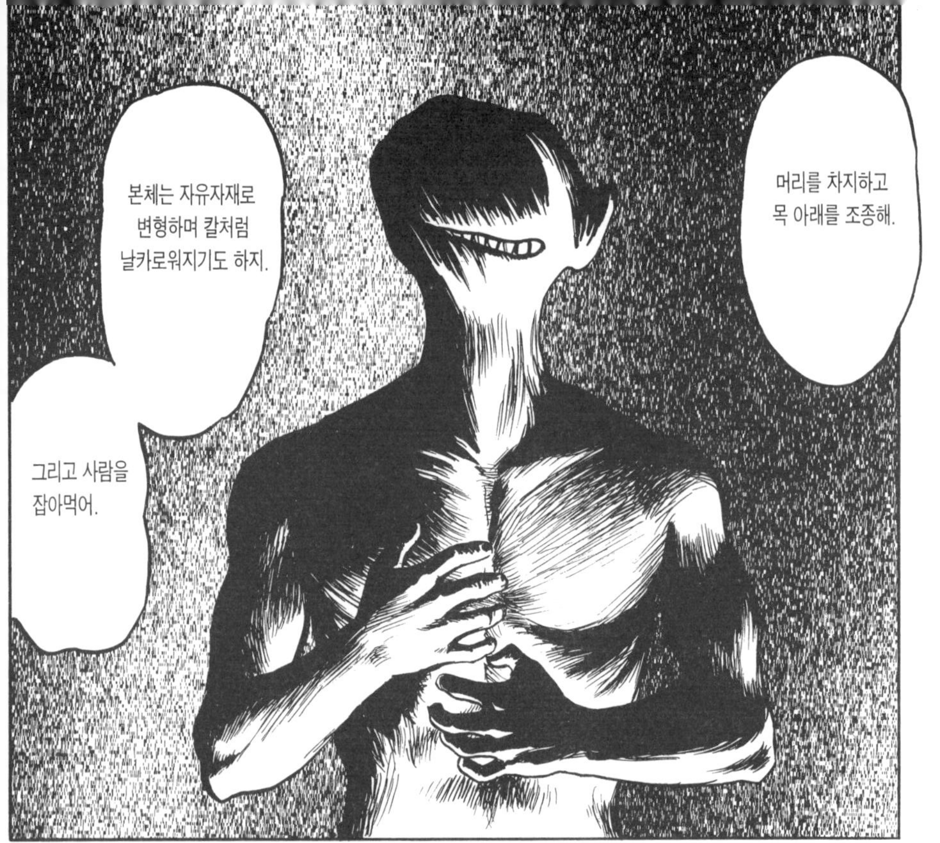
머리를 차지하고
목 아래를 조종해.
본체는 자유자재로
변형하며 칼처럼
날카로워지기도 하지.
그리고 사람을
잡아먹어.

TV 같은 데에 나오는
패러사이트 얘기나
「시마다 히데오」에 관한
얘기도 대체로 정확해.

그리고
또 하나….
나한테
기생한 이 놈은
머리를 차지하는
데에 실패해서
오른손에 들어왔지.
그래서 사람을
해치지 않아.

이제 이해가 되니?

삐 삐

……. …….

…….

무슨 재미있는 얘기라도 하나 했더니… 괜히 기대했네.

잠깐만….

대체 어떻게 변형하는지 보고 싶다, 야.
진짜면 한 번 움직여 보셔.
그래도 지금까지 한 말은 모두….

덮어놓고 믿으라고 하기도 그렇지만,

…불 있어?
하긴 없겠지….

그러니까 지금은 잔다고 했잖아. 깨어 있었으면 이런 말도 못했어.

나한테서 떨어지라고 미츠오가 협박해서…

아니, 부탁해서 …인가?

내가… 이렇게 골치아픈 거짓말이나 하자고,
사람을 불러냈을 리가 있어?

후
그런~
차원의 문제가
아냐~!!

…….

걔 때문인가?

흥!

그렇게
빙빙 돌려
말할 것 없어….

내가 싫으면
싫다고
확실히…
네 입으로
말하란 말이야.

!

카나,
나는 카나,
너를….

미, 미안해!
?!

저기, 저, 저번
그 애랑 둘이 걷고 있을
주책없이 끼어들어
이상한 소리를 했잖아
그래서
화난 거지?!

아니…
그러니까…

미안
안 그럴
다시는…
그 애랑 있을 때
방해하지
않을게.

흐이그….
하나도
못 알아
들었잖아.
하긴 증거가
없으니.

아무튼 너한테
초능력이 있
그건 괴물
분간하는 능력이
그리고
내 몸에는
괴물이 살아.

…알았어.
뭐?

괴물이라
이거지?

그… 그래.

나는 너만을
분간하는
힘이 있어.

그럼 이건
어때?
흠….

즉, 괴물들 중에서
너만을 정확히
집어낼 수 있다,
이거야.

—?!

너만 미묘하게
달라!
응!

정말이니?

…….
…….

요컨대 너 외의 다른 놈들한테 다가가지만 않음 되지?
아… 응….

너만 구별해서 너한테만 가까이 가면 되지?
그… 그야 그렇지만.

정말 나만을 …알 수 있어?

정말이야.
이런 걸 할 수 있는 건 어쩜 세상에서 나뿐일지도 몰라….

아… 저기 그게… 어라…?
…….

헤헤… 심각한 얼굴로 이상한 얘기나 하니까 이렇게 꼬이는 거라구.

…….

나만… 즉,
오른쪽이만을
분간해낸다고?
카나한테
그런 능력이….
……

다른 기생생물과
「오른쪽이」의 다른 점.
뇌를 차지하지 못해
전신을 조종할 수 없다.
인간을 먹고 싶어하지
않는다.
하루 중 4시간은
완전히
잠들어버린다….

인간의 뇌와
섞이지
않았다는 것을
느끼는 건가?

아냐…
혹시
거짓말
일지도.

아~
젠장.

무슨 일이라도 있어, 신이치

아… 아냐.
아무 일도 없어!

또 하나가 있네….

벌써 4명짼데….
이렇게 많으면
옛날에
난리가 나도
났겠다.

거봐….
저 사람이 어떻게
괴물이야?

반드시
구별해 내고
말겠어.
아냐.

하지만
모르겠네….
신이치만의
특징은 없을까…?

하지만 그 영화가 정말 재미있어? 들어본 적이 없는데.
글쎄, 감동적이라니까.

내 친구가 보고 펑펑 울었대.
난 좀더 재미있고 유쾌한 영화가 좋던데.

그럼 내일 10시에 보자.
응.

…괴물 좋아하네. 말도 안되는 소리…
핑계거리가 그렇게도 없었나…?

이건 뭔가 다른
뭐라고 할까….

운명의…
사슬같은 거야.

세계에서
나 하나만….

그애한테
이런 힘이 있니?

봐… 이쪽을.

이쪽을 봐!

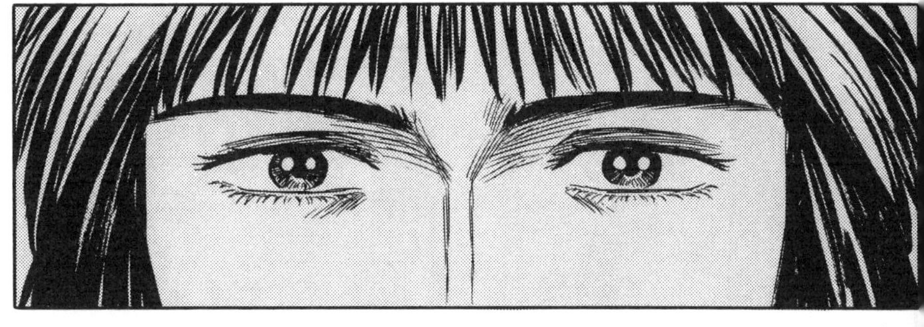

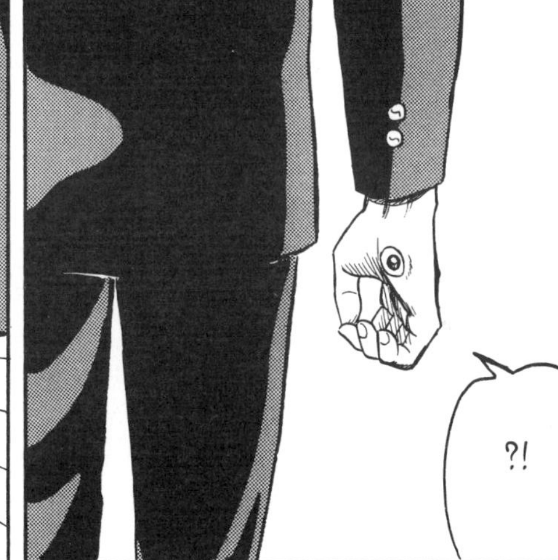

에구…
힘들다.
하아….

으으….

으악!!

깜짝 놀랐잖아.
아까부터
여기 있었니?

뭐야…
미츠오….

대체 왜 그래…?

숨어서
훔쳐보기나 하고,
카나답지 않아.
웃기지도
않다구.
우… 웃기지도
않다니!

그, 그러는 넌 어떻구!
그걸 또 뒤에서
훔쳐보다니.
남자가 돼 갖구!
네가 더
꼴불견이야!

저 녀석한테는
딴 여자가 있잖아.
뭣보다… 저 녀석은
너한테 안 어울려….

그러셔?
그래서 뭐?
넌 나한테
어울리냐?
기가 막혀서.

몸집만 커갖고
소갈머리라곤
밴댕이 같은 게!
너 같은 애하곤
말도 하기 싫어!
꼴도 보기 싫다구!

너무한다, 야. 기운이 쏙 빠지네.
좋아하는 애한테 그런 말까지 들어야 하나…?

아….

…….

미안해… 하지만.
이젠 어쩔 수가 없어….

심한 말을 해서 미안해.

역시….
응?

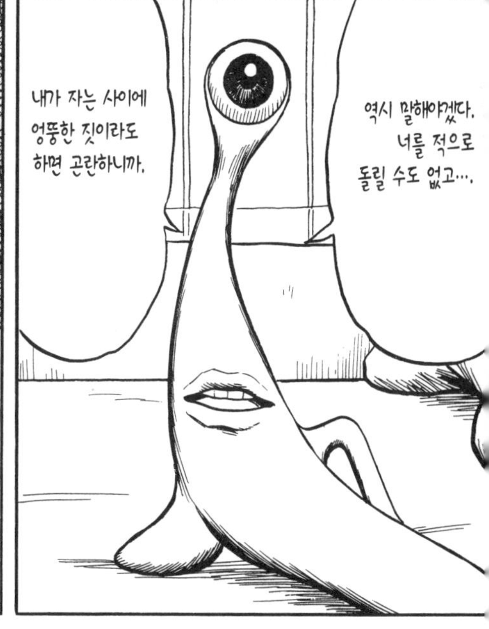
역시 말해야겠다.
너를 적으로
돌릴 수도 없고….
내가 자는 사이에
엉뚱한 짓이라도
하면 곤란하니까.

…뭐?

그 여자…
카나의 능력이
강해졌다.
…라기보다
신호를 발하게 됐어.
신호라니?

기생생물들끼리
서로의 소재를
파악하는 신호 말이야.
오늘 학교에서 돌아오는 길에
내가 느꼈다.

그,
그렇다면….

신호를 발한 것은
상당한 정신집중을
통해서였겠지.
24시간 그런 것도 아니고
신호가 닿는 거리도
극히 짧아.

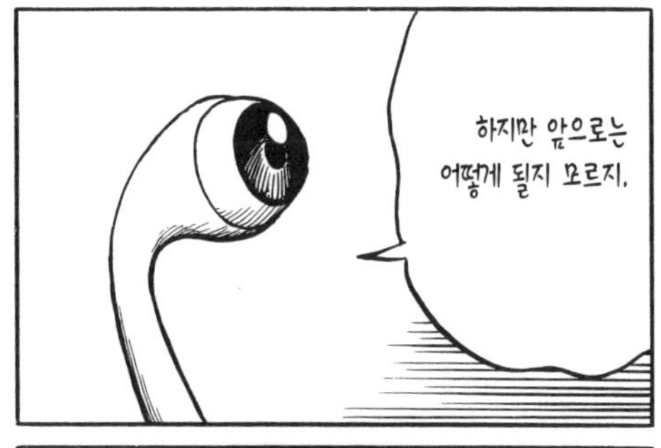
하지만 앞으로는
어떻게 될지 모르지.

그런….
그럴 수가….

왜 그때 진작….

아냐…
잘 가르쳐줬어.

…….
…….

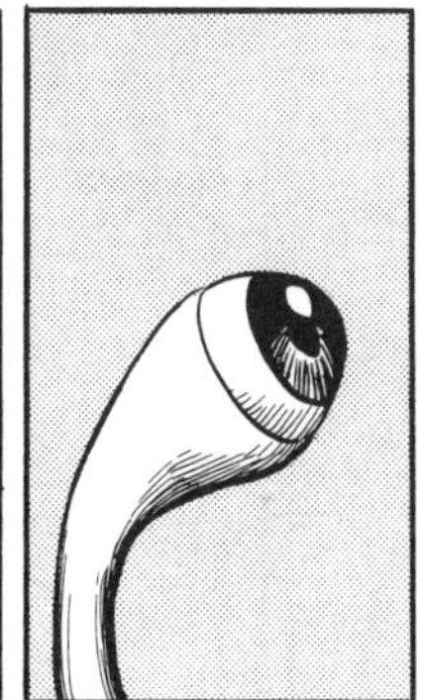

저기.

사실은 내가,
지난 번에 네가 자는 틈에
그 애한테 다 털어놨어!
기생생물에 관한 것이며
너에 대한 것도 다!
하지만…
전혀 믿지
않았어….

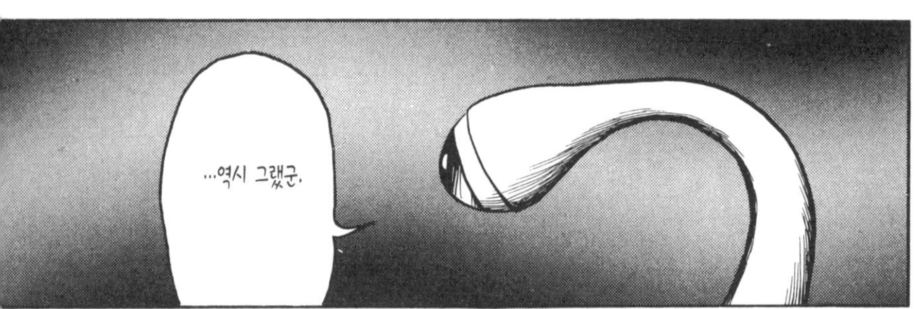
…역시 그랬군.

그애는 네 적이 아니야!
잘 얘기해서…
알아듣도록 자세히 설명하면
자기의 능력을
자각할 거라구!

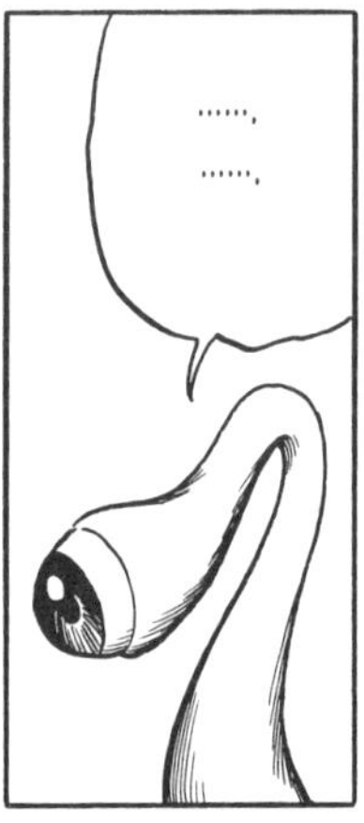
……,
……,

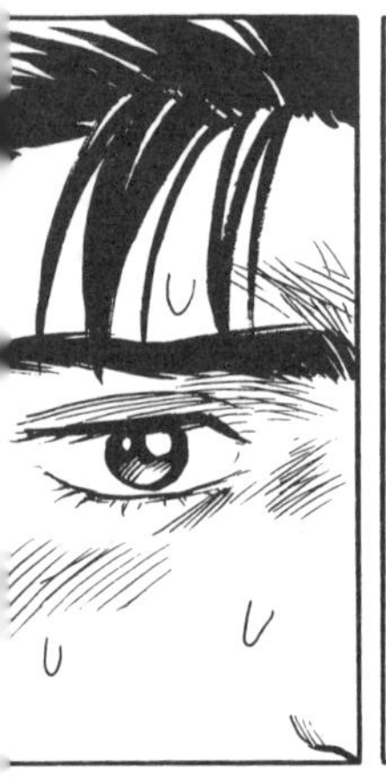

네 모습을
그 애한
보여주고 싶

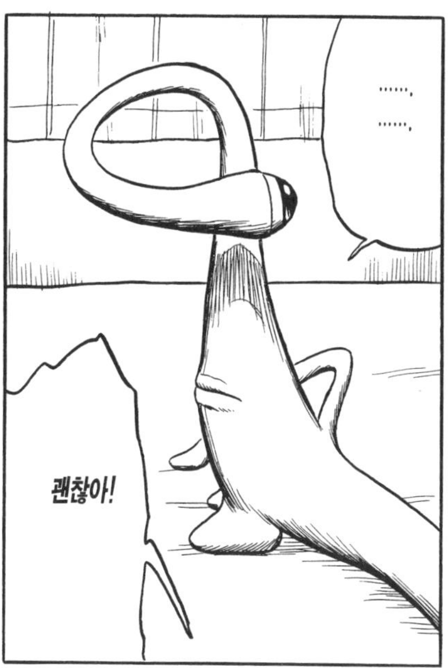
……,
……,
괜찮아!

아, 그렇지.

만약 그애가 남들한테 말하면 그땐 입다물고 있으면 돼.
너도 그저 오른손인 체하고만 있으면….

그냥 애가 하는 헛소리려니 할 거라구!

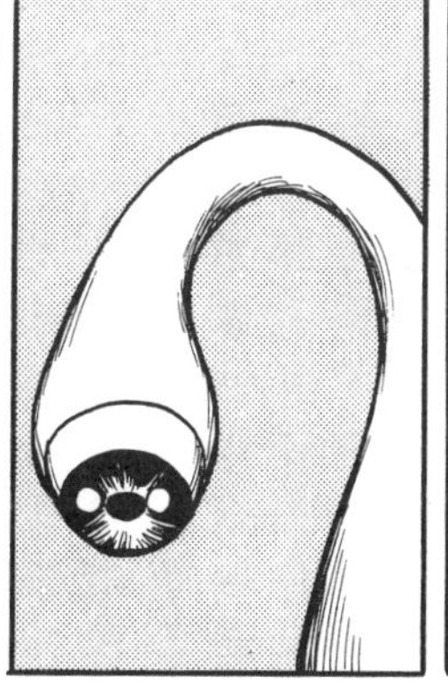

응…?!

…알았어.

나가 기생생물의
호를 낸다는 게
른 괴물들한테
려지면 끝장이야!
서둘러야 해!

그래!

내일은
일요일…

내일
해야지!
이 시간에 어딜
싸돌아 다니는
거야?
이 날라리!

…….
…….

띠리리리링

여보세요…
어?
신이치 아냐?

미,
미안해.
급한 일이
생겨서….

그래…?
응, 알았어.
할 수 없지 뭐.
다음에 가자.

응… 그래,
미안해.

달칵

신이치

카
싱
WAFTING
VAGABONDAGE

부릉
부릉
145

어머, 카나 아냐? 오랜만이네!
미츠오는 어딨냐?

응….
신
가
145

다음날(일요일)

일요일인가….

후아~.
응….

띠리리링

오늘은 공원에라도 가서 내 초능력을 단련해볼까!
어쩌면 파워가 확 올라갈지도 모르니까…. 후후….

어머나?
그 얘기의
속편이야?

전보다
급해졌어.
이번에는 꼭
알아줘야 해!

끈질기긴….
그래,
몇번이든
들어줄
테니까—.

정말
괜찮지?
오른쪽아.
응?
뭐라고?

지금 역앞에
있으니까
여기서 만나자.

응?
두둑 두둑

「종족」 셋이
다가오고 있어.
스피드로 보아
자동차인 것 같다.
윽…
이쪽으로
똑바로 오고 있다.

아, 미안!
「역앞」은 취소야!
나중에 다시 걸게.

꼭 다시 걸 테니까
절대 집에서
나오면 안 돼!
알았지?!
아참.

끼이이
저 차다!

역앞… 취소…?
일단 이 동네엔
와있다는
거네….

……
달칵

제길.
끼익
기다려! 신이치.

저쪽도 이미 눈치채고 있어.
섣불리 움직이면 도리어 의심받는다.

전화를 걸고있는 척 해.

그래….
다시 한 번
내 능력을
보여줘야지.

너 하나만을
느끼는 힘.
…다른 어느
누구에게도…
사토미라는
애한테도 없는
특별한 힘이니까.

그러니까
너도…

나만을
느껴줘….

부르르릉-

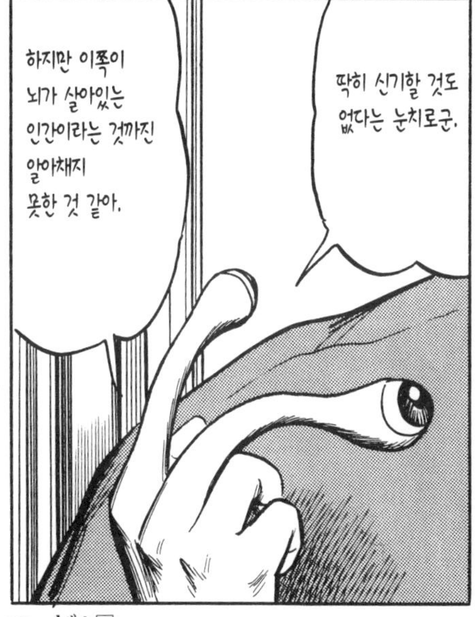
하지만 이쪽이 뇌가 살아있는 인간이라는 것까진 알아채지 못한 것 같아.
딱히 신기할 것도 없다는 눈치로군.

제길— 한심해서 원.

하나는 차를 타고
되돌아 갔고
나머지 둘은
역으로 들어갔다.

후— 아무튼
엄청 모여드는군.
어서 카나를 만나야지.

띠리리리
띠리리리
띠리리리

어이, 야!

제30화 —끝—

제31화 붉은 눈물

그렇게 말했는데
나가면 어떡하냐!

나네 집은
강
지만….
이쪽으로
오고 있나?

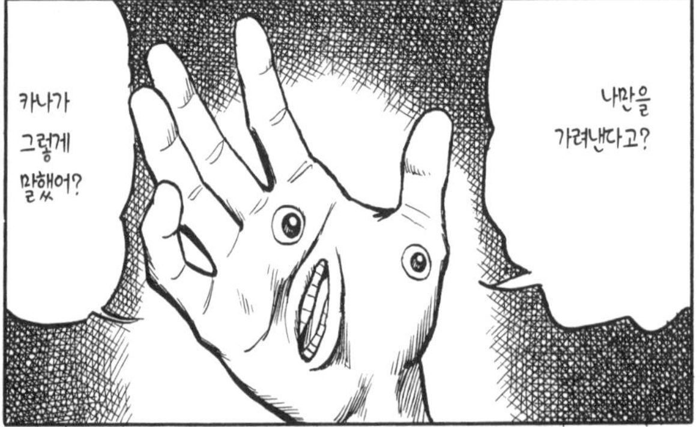
나만을
가려낸다고?
카나가
그렇게
말했어?

시
짓말인가…?

선뜻 믿기 어렵군.
기생생물들간에도 하나하나를
구별하는 것은
거의 불가능한데,
하물며 인간이….

역시…
날 속였어!

어떡하지?
카나의 집쪽으로
가볼까…?
아냐.
내가 움직이면
일이 더
복잡해질 수도….

하지만
「역앞」이라는 걸
방금 취소했는데….

아냐.
다른 볼일이 있어
잠깐 나간 걸지도….

아무튼
다시 한 번
걸어보자.
끼이익

있다!
신이치인가?

!!

역앞에 있다고 한 것치고는 너무 빨리 왔잖아…?

이럴줄 알았으면 집 근처에서 전화할걸 그랬어.

안되겠어! 카나의 집쪽으로 가보자!
덜컥

젠장!
이런 길 한복판에서
카나의 숨소리를
무슨 재주로 잡는담?

오른쪽아.
카나가 내는 신호를
잡아낼 수는
없을까?

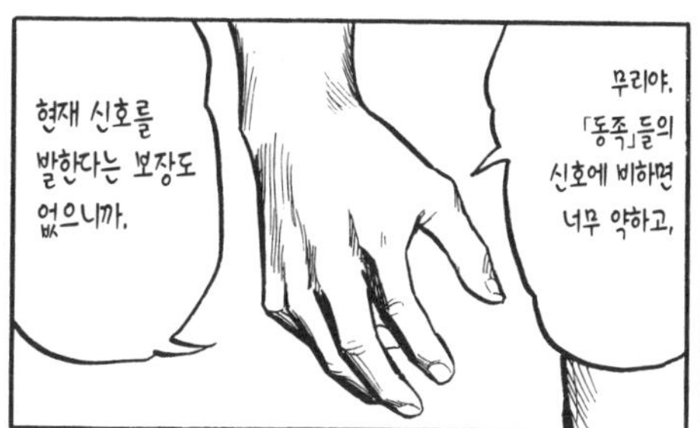
무리야.
「동족」들의
신호에 비하면
너무 약하고,
현재 신호를
발한다는 보장도
없으니까.

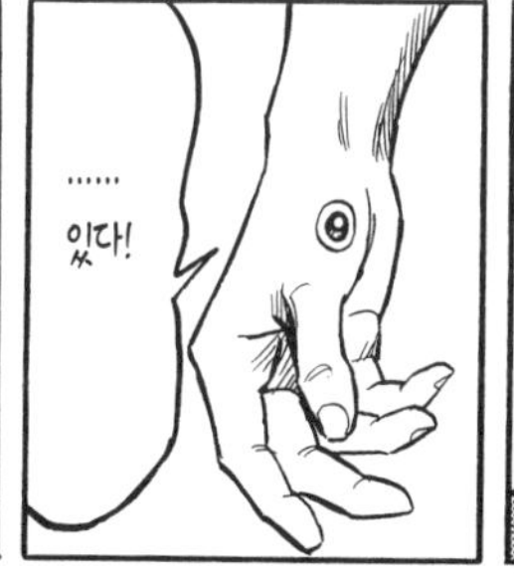
……
있다!

어,
찾았어?!

아니,
「동족」의
뇌파다.

어디…?

우리의
진행방향에서
좀 벗어나
있긴 해도….

카나가 우리보다
먼저 이 파장을
느꼈을지도 몰라.
어디지?
가자!

거기서
왼쪽….

어?
이 길은 분명
전에도….

하하하하
뭐야—.
지난번에 가르쳐준 곳 아냐?
일부러 이쪽에 와서…
내 힘을 시험해보려 했구나?
LOVE

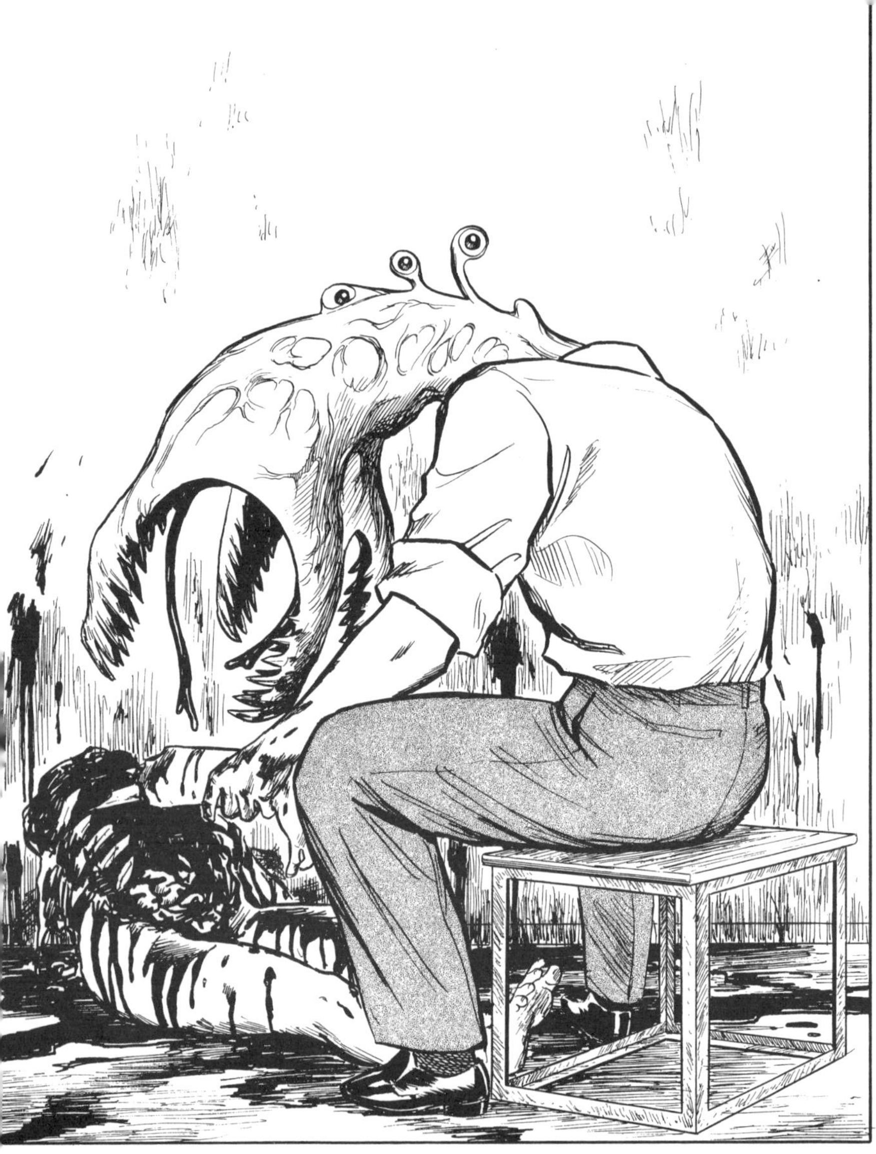

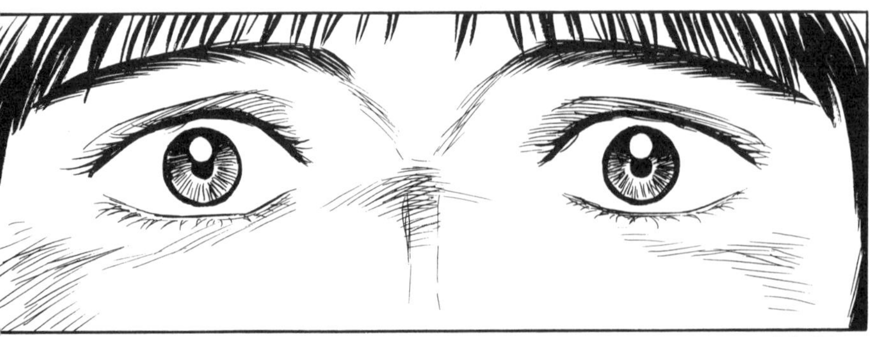

인간이었나?
…어쩐지
너무 약한
신호다 싶었어….

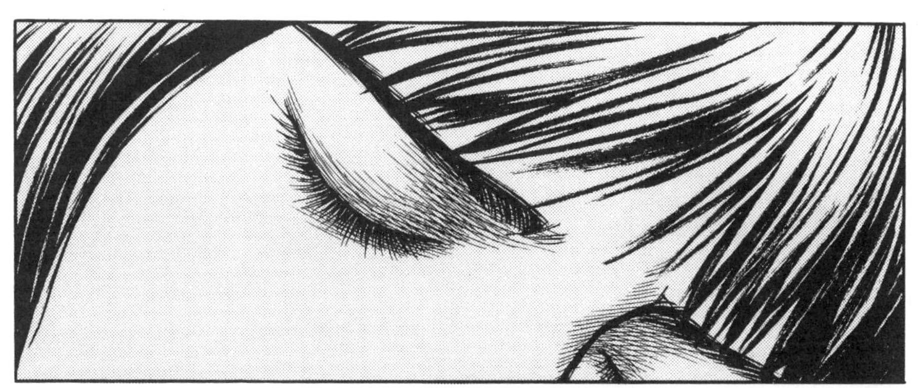

이건 또 뭐야…? 이번엔 진짜 「동족」인줄 알았는데…
이런 반쪽짜리가 나타나다니.

이럴… 이럴 수가….
어째서….

오른쪽아, 바…

방어를 부탁해….

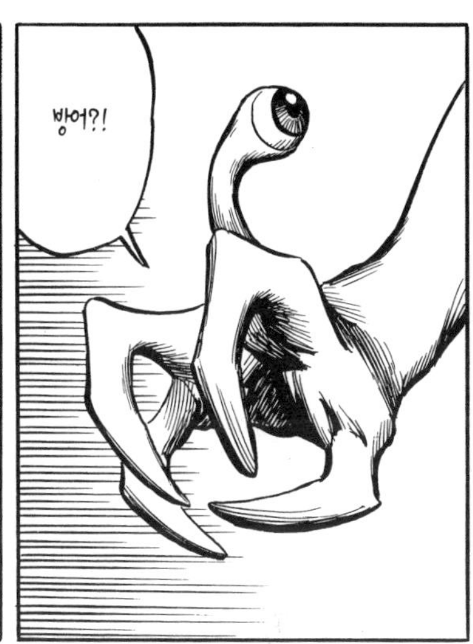
방어?!
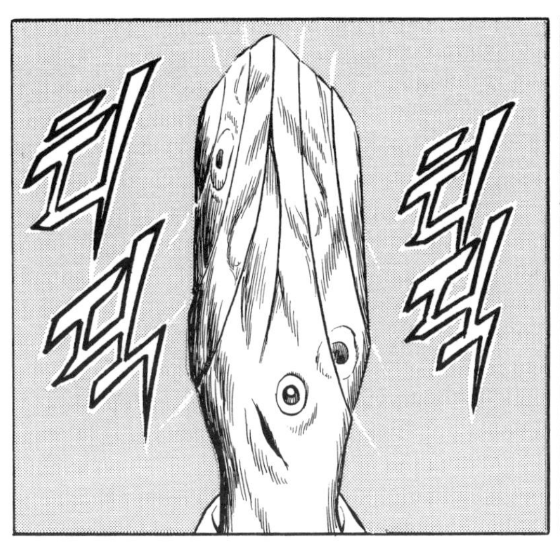

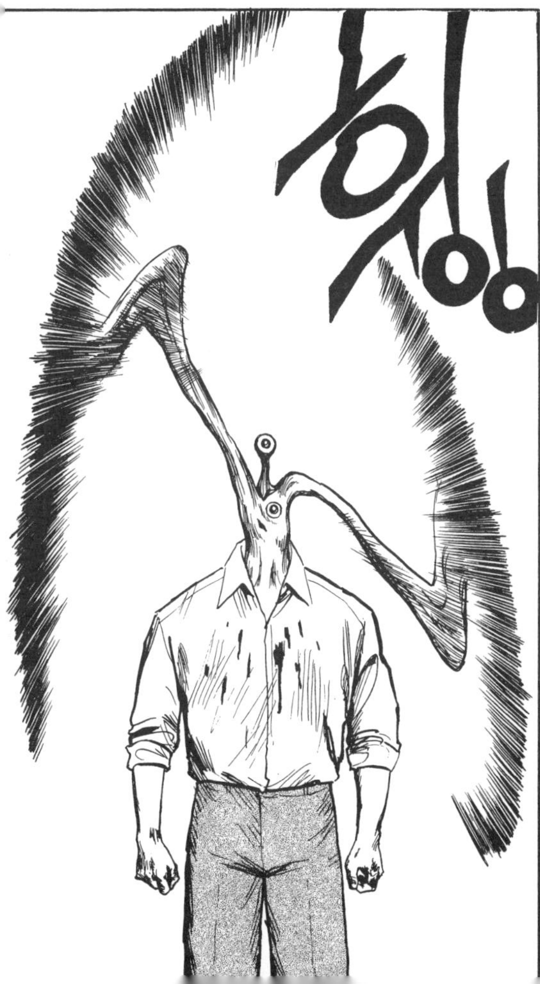

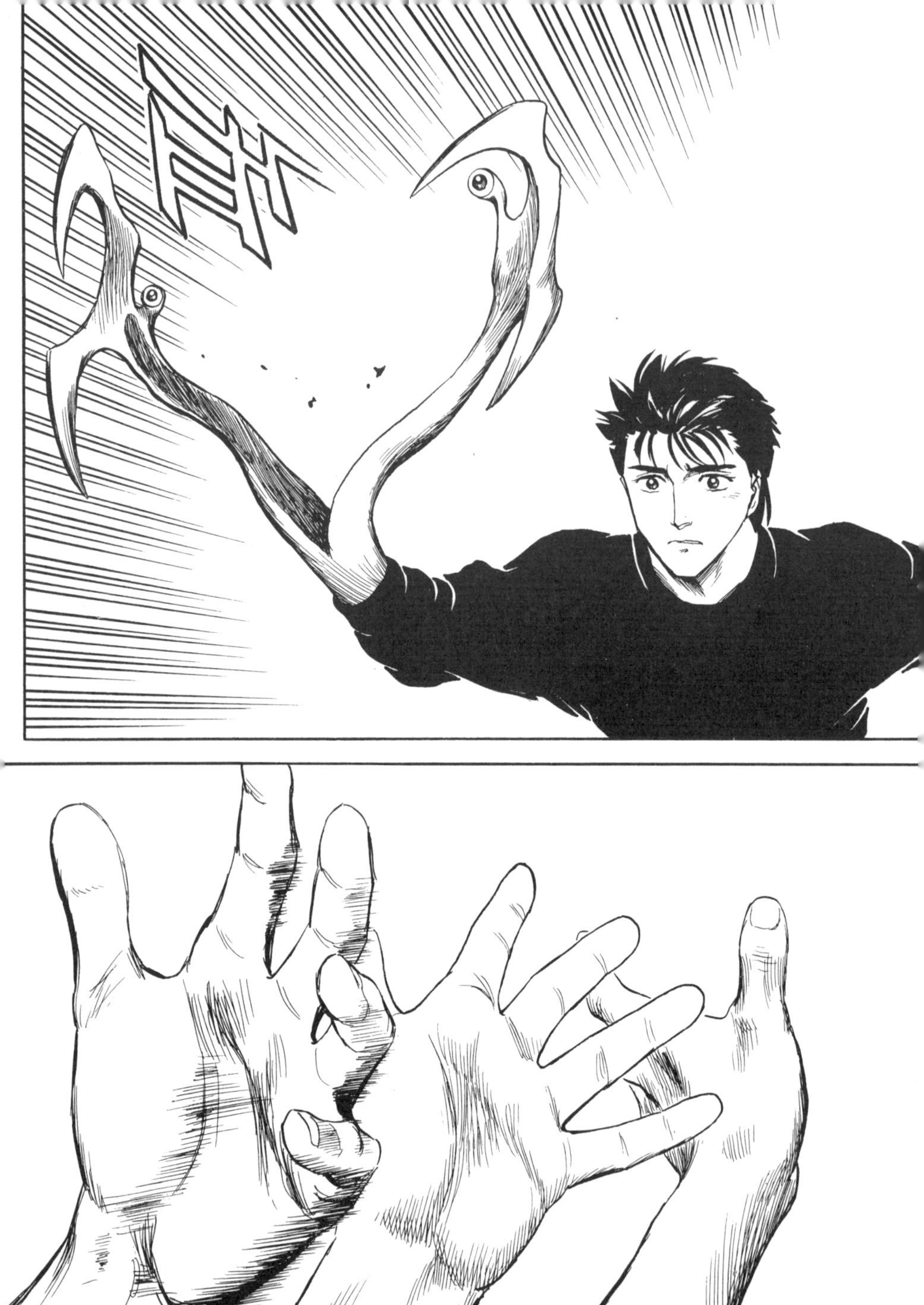

컥

이야아아앗!

굉장하다…!!

주륵

철퍽

틀렸어….
출혈이
너무 심해.
안 돼….
으….
카나!
응….
어….
여기 올… 줄
알았어….
느껴져….

정신차려…!

분명… 전에도
어디서 이런…

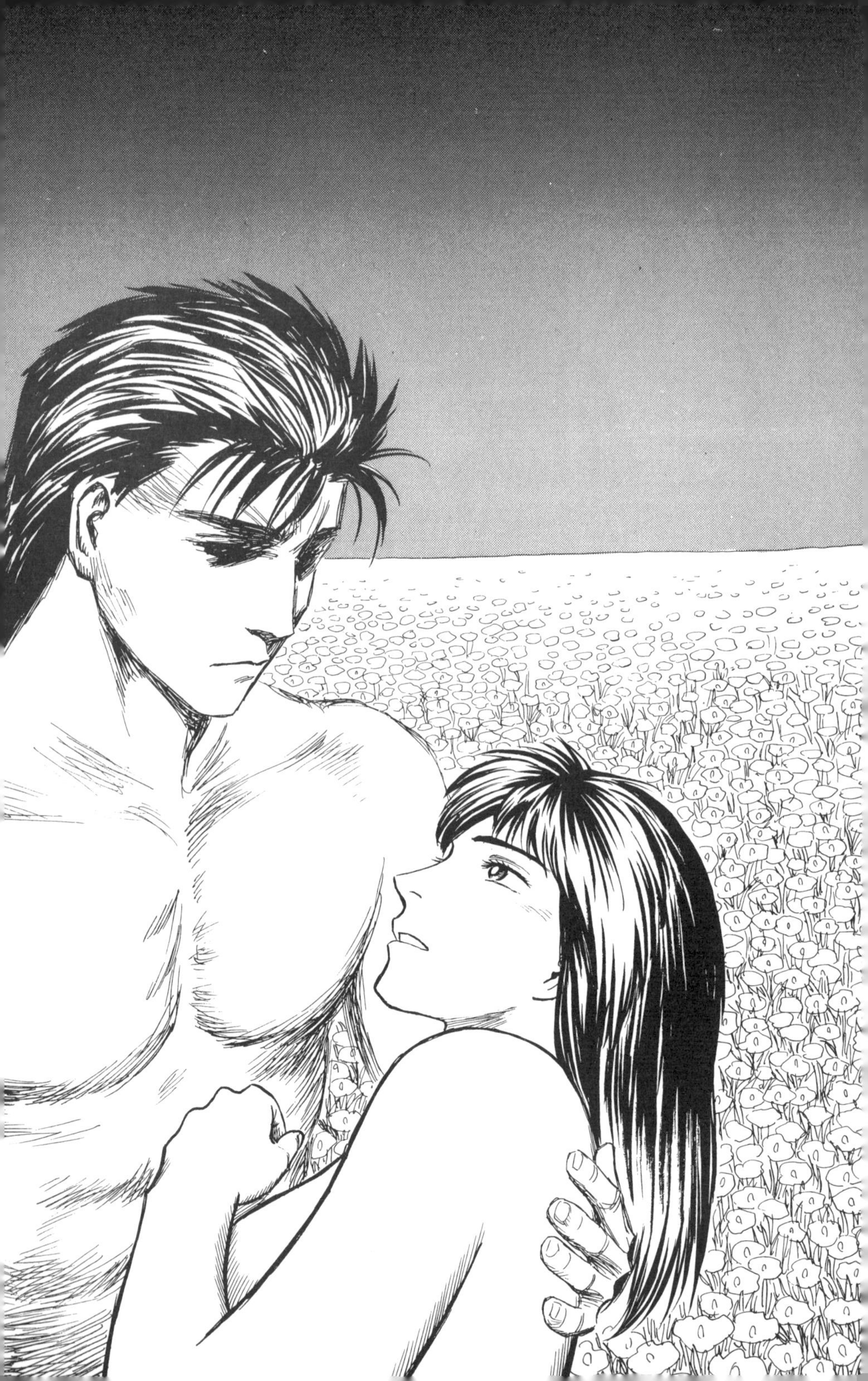

…….

후후… 창피해서…
도저히 말 못할 꿈….

야!
카나!!
카….

신이치 카

신이치 카

어린 학생이
죽다니…
착잡하군요.
한편으론
패러사이트의 표본이
또 하나 생겼다고
기뻐하는 놈들도
있지만….

으흑~
흑흑~.

…….

저 소년이 최초
발견자인가요?

피해자와 아는
사이라면서
저렇게
태연하답니까?
쉿!

비밀이네만
저 학생의
어머니도
괴물한테
희생됐다네.
예?!

쌀쌀맞기는.
뭐… 사정청취니 뭐니 하느라 우리만 보면 지긋지긋하겠지.

안 그럴 수가 없었다네.
소녀는 패러사이트에게 희생됐다… 하지만 그 패러사이트를 죽인 건 누구일까?

혹시나 싶어 머리카락까지 뽑았으니까.
하긴 질릴 만도 하군요.

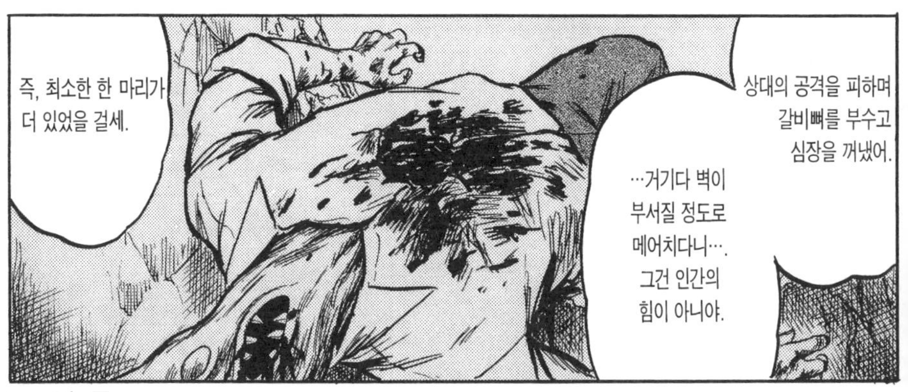

상대의 공격을 피하며 갈비뼈를 부수고 심장을 꺼냈어.
…거기다 벽이 부서질 정도로 메어치다니….
그건 인간의 힘이 아니야.
즉, 최소한 한 마리가 더 있었을 걸세.

저 학생은
아무것도
못
봤다지만….

괴물들 간의
싸움이었다고?
달리는
생각할 수 없어.

왜 나는 번번이
실수만 하지…?
…그날 카나한테
전화만 안 했으면….
사토미랑 영화나
보러 갔으면
이런 일은….
바스락
바스락

아니야,
신이치.
이렇게 되는 건
시간 문제였어.
카나는 신호를
발할 정도까지
돼 있었으니까.

너는 할 만큼 했어.
자신을 탓할
필요가 없어.
쳇!
잘도 그런
소릴….

바스락 바스락

허억,
허억.

너 같은 놈한테…
너 같은 놈한테
카나를….

퍼억

왜 지켜주지
못했어!!

벌써…
죽어
있었어….

악
빡
퍼억

넌 어찌 그리도
태연한 거냐!!

카나는
그렇게
너를…!
콰악
그런데도
너는!
퍽
파악

눈물 한 방울!
눈물 한 방울도
흘릴 줄을 몰라!!

파악

신이치…!

너 같은 건
인간도 아니야….

네 놈은
인간도
아니라구!

인간이
아니야!!

피도 눈물도
없다는 건
널 두고
하는 말이야!

휘잉

억

그래!

퍽
억!

퍼억

빠아악

크헉!

크억!
쿨럭 쿨럭.

퍼어억

뻗지 말고
썩 일어나!

후….
어지간히 안 하면
이놈의 배에도
구멍이 뚫리겠군.

으으….

후후후….
확실히 이건 인간이라
할 수 없지….
왜 이렇게 마음이
차분한 걸까…?

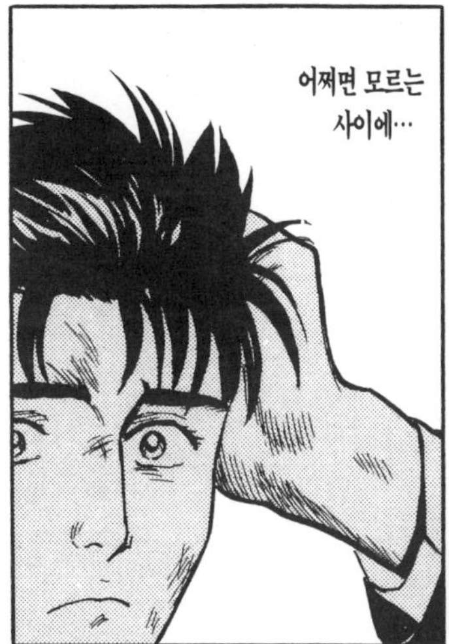
어쩌면 모르는
사이에…

나도 모르는
사이에 벌써…
뇌까지
먹혀버린 건
아닐까…?

아는 사람이
죽었다…
카나가
죽었는데도
눈물
한 방울….

빠악

쾅
쾅
쾅
쾅

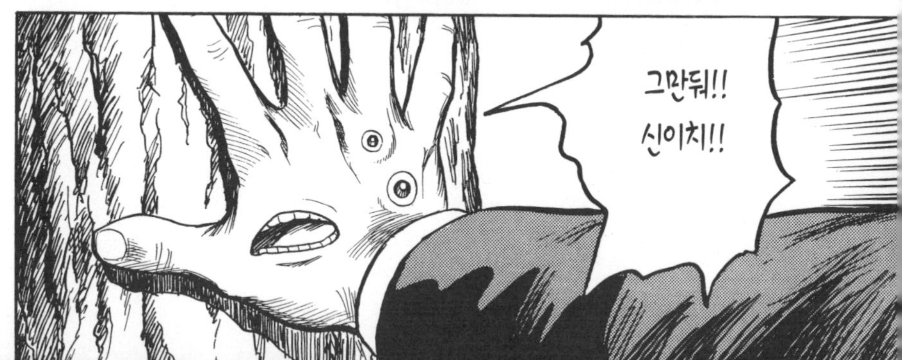
그만둬!!
신이치!!

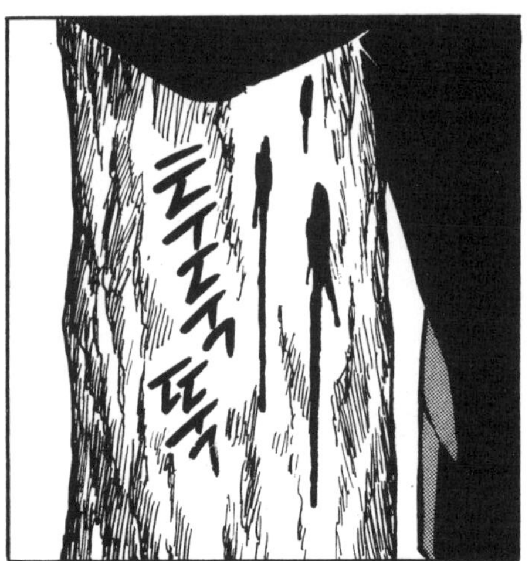

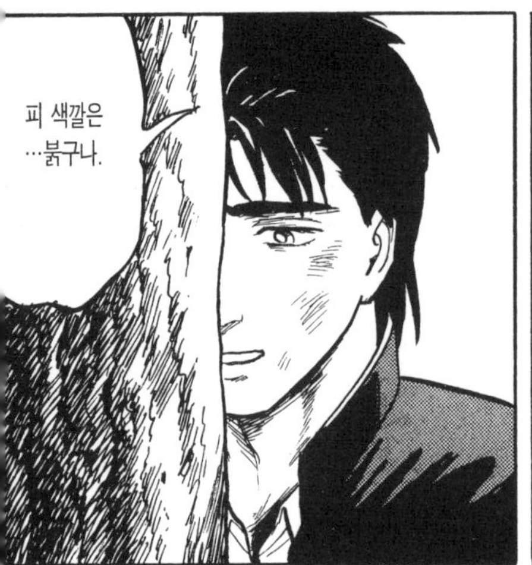

제31화 —끝—

월간 **애프터눈**

독자페이지에서 ……………… Vol. **9**

「인간이 가축을 제공하는 등, 기생생물과 공존할 수는 없을까요?
최근 그들도 필사적으로 살고 있다는 생각이 듭니다.」(카나가와 현. 타카 30세 회사원)

「공존을 생각할 것 없이, 기생생물의 수는 인간에 비해 극히 적으므로 조금은 인간을 먹어도 되지 않을까요? 하고, 자연을 사랑하는 무책임한 우주인이라면 말할지도 모르죠.」(이와아키 히토시)

애프터눈 '92년 7월호에서

「〈기생수〉가 무섭다. 신이치도 무섭다. 더 이상 인간에서 멀어지지 말았으면 한다.」
(니이가타 현. 무밍 29세)

**「작품의 주인공이란 보통 인간이 흔히 갈 수 없는 곳을 여행하는 여행자라고 생각합니다.
독자 여러분도 신이치와 함께 비인간적인 세계를 여행해 주세요.
인간에게서 멀리 떠나 보면 반대로 인간이라는 것을 잘 볼 수 있게 될지도 모릅니다.」
(이와아키 히토시)**

애프터눈 '92년 11월호에서

작가가 대답했다

독자의 질문

월간 **애프터눈**

독자페이지에서 .... Vol. **10**

「어쩌면 최종회가 가까워지는 게 아닌가 굉장히 걱정됩니다.
부디 이 작품을 읽는 행복을 이대로 느끼게 해 주세요.
두근두근 울렁울렁, 다음은 어떻게 될지 생각하는 게 저의 커다란 낙입니다.」
(홋카이도. 다케이 치카코. 31세 주부)

**「앞으로의 스토리와 내용에 대해서 비밀인 것처럼 언제 끝날지도 비밀입니다.
그러나 언젠가는 끝이 나겠지요. 장편만화의 최종회에는 이야기의 '죽음'을 느끼게 하는 것과 이야기의 '완성'을 느끼게 하는 것이 있다고 생각합니다. 예를 들어 데츠카 오사무 씨의 만화는 대부분이 후자였던 것 같습니다. 〈기생수〉 역시 어디까지나 '완성'을 바라고 있습니다.」(이와아키 히토시)**

애프터눈 '92년 12월호에서

「기생생물은 살기 위해서만 인간을 죽이고 잡아먹는다. 인간이 훨씬 악질적이다.
이익을 위해 동식물을 죽이기 때문이다.」(사가 현. 아돌프 히틀러 16세. 학생)

**「인간, 특히 선진국 인간은 다른 생물보다 극단적으로 사치스런 생활을 하고 있으며
이 사치는 환경파괴로 이어지고 있습니다. 인간이 인간 자신을 '악질적'이라고 느끼는 것은
이 사치가 곧 환경파괴라는 도식에서 눈을 돌리고 있는 죄책감 때문이라는 생각이 듭니다.」
(이와아키 히토시)**

애프터눈 '93년 5월호에서

독자의 질문에 작가가 대답했다

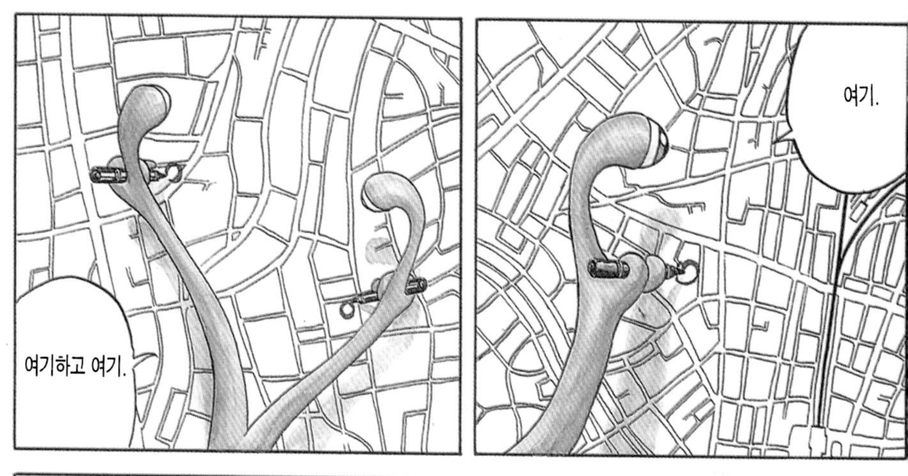
여기.
여기하고 여기.

여기.
여기.
여기.
여기와 여기.

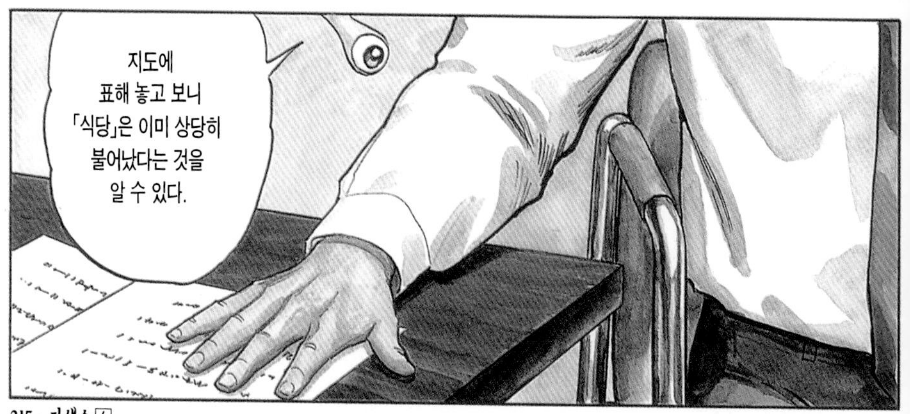
지도에
표해 놓고 보니
「식당」은 이미 상당히
불어났다는 것을
알 수 있다.

나는 조금 줄이는 게
좋다고 생각하는데….

제32화
타무라 레이코

그게 「식당」의 부족에서 온 결과 아닌가요?
하지만 어제 식사중에 「동족」이 죽은 폐건물은 지정된 「식당」이 아니었습니다.

내 생각에도 너무 많아.

…이야기는 그리 단순한 게 아닙니다.

「식당」의 개수가 아니라 그놈 개인의 잘못된 행동에서 온 결과지.
전체의 목적을 잊고 눈앞의 공복감에 굴복하는 것은 개나 고양이와 마찬가지야.
…죽은 게 차라리 다행이지.

「범인」으로부터의 신고가 없어요.
인간들에게 또다시 샘플을 제공한데다…

그럼 범인은 「인간」이라고?!
설마….

그에 관해 의문시되는 것이 있는데.
첫번째 발견자인 소년에 대해서는….
덜컥
그 소년은…

나와 「시마다 히데오」가 함께 여러 가지로 관찰하는 중이었습니다.

오랜만이군요,
타무라 씨.

컨디션은
어때요,
고토 씨?

아주 좋습니다.

폐건물에서
「동족」을 죽인 것은
그 소년이
틀림없습니다.
아마 친구가
살해당하는 것을 보고
분노가 치민
것이겠죠.

친구? 분노
뇌는 완전
인간이란 말인가

그래요….
뇌는 살아 있으며
기생생물도 온전히
동거하고 있죠.

그럼 얼른
처치해 버리는 게
좋지 않겠어?

큰 위험은 없어요.
도리어 귀중한
자료인 셈이죠.

그 「소년」 말인데
「시마다 히데오」의 죽음
뭔가 관계는 없었
만약 있다면 이번 일
두 번째가 되는데

아직은
아무 말도
할 수 없군요….
하지만
그에 대한 것은
계속 내게
맡겨 줬으면
합니다.

「타무라 씨」가
연구에 열심인 건 좋지만
너무 위험한 모험은
삼가줘.

…….

나는…
동족」 전체의
래적
능성을 위해
력하고 있어요.

흠… 그러
범인
소년에 대해
당신한테 맡기지

그런데
타무라.
당신 아이는
어떻게 됐지?

살아 있어
평범하게
하지만 사육하려면
어느 정도
인간의 힘을
빌지 않으면
안 되겠더군요.

흐음….

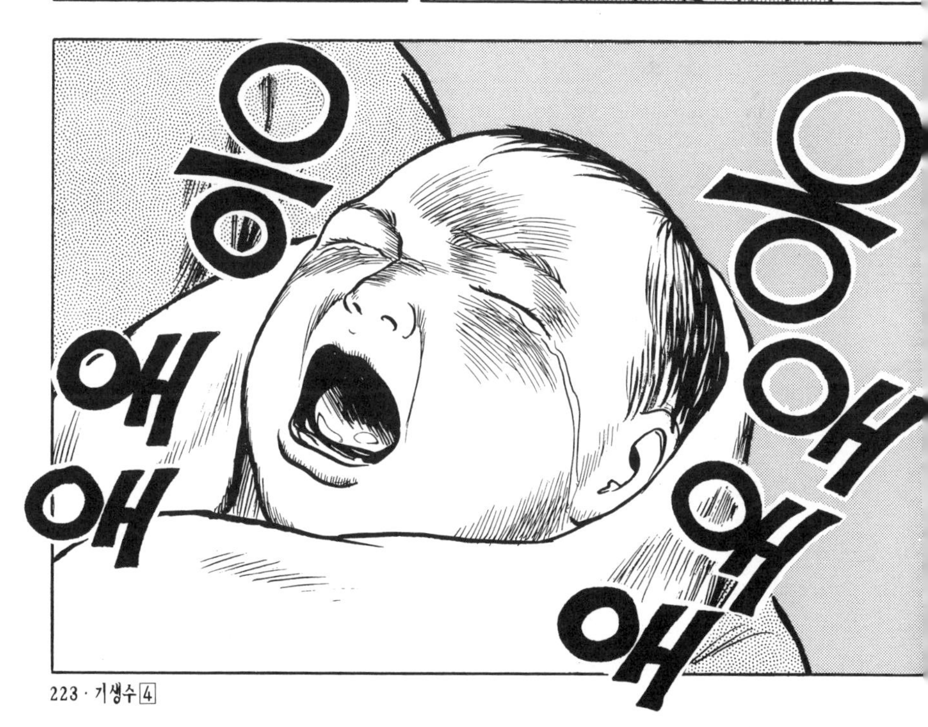

그래─
착하지.
왜 이러실까─?
기저귀도
갈았는데.
응애애애애

달칵
ㅏ, 엄마다.
애애애

아,
다녀오셨어요?
응애애애애

응애애
시끄럽군.

응애애애
네?!

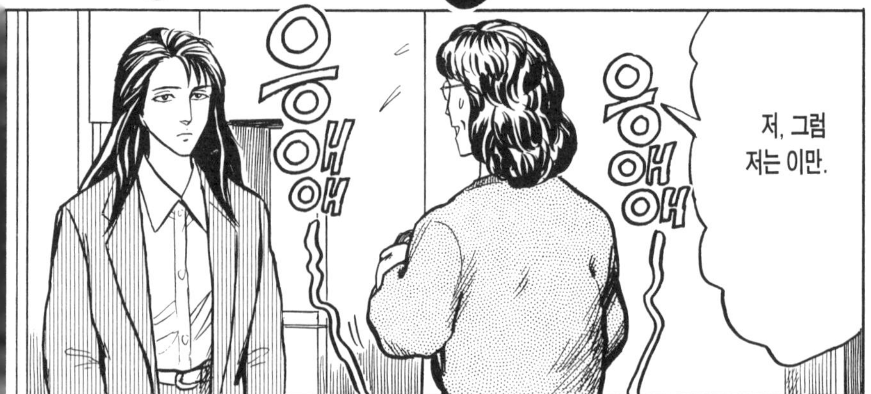
저, 그럼
저는 이만.
응애애
응애애

?
응애
애
애애
애
애
애
애
애
애

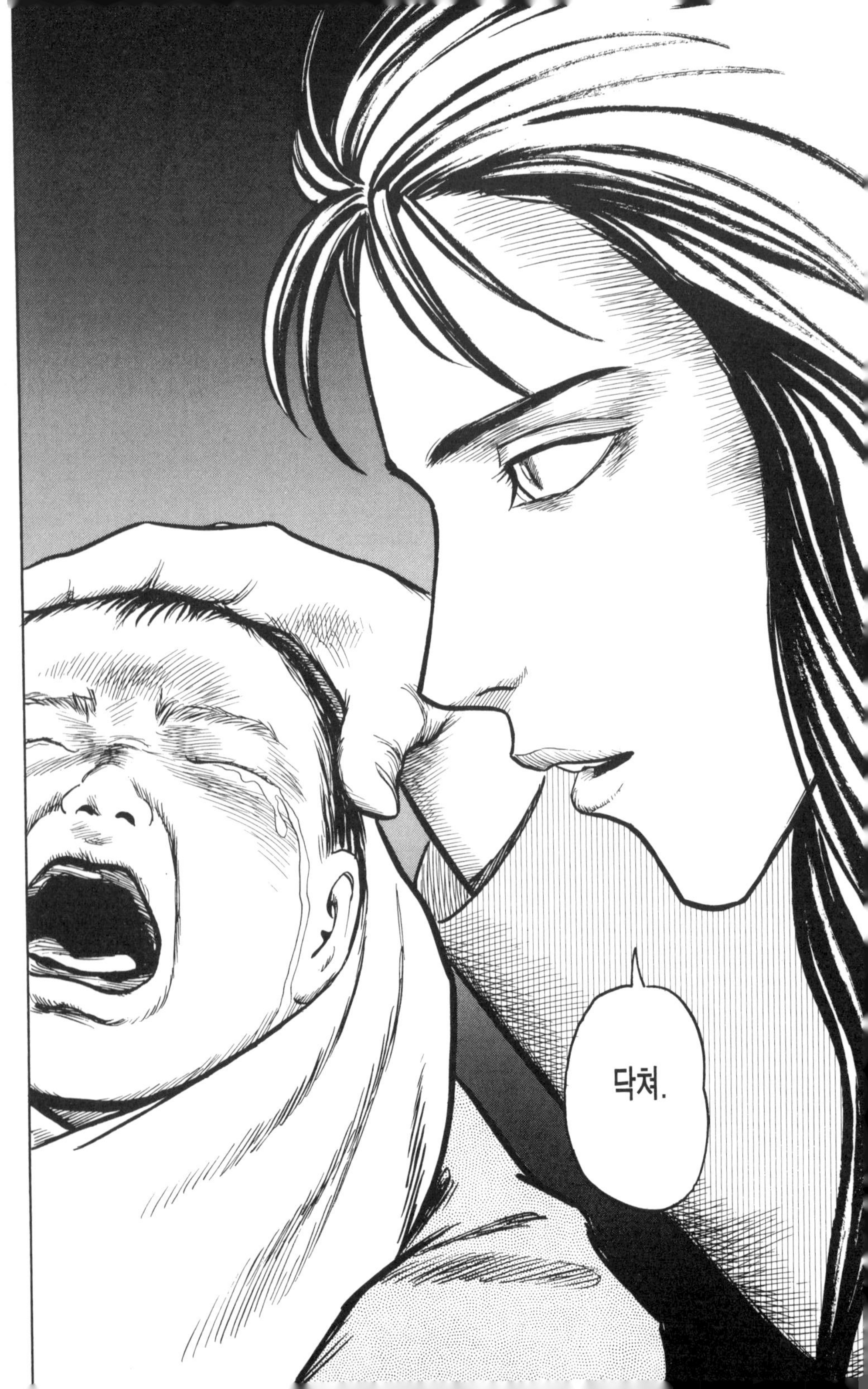
닥쳐.

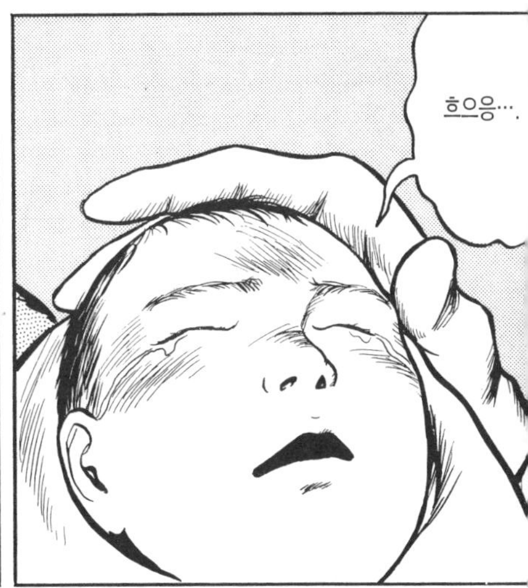
흐으응….

…….

수고했어요.
내일도
부탁합니다.
아, 네에….

정말
애 엄마
일까…?

그래도
울음은
그쳤으니….

훈련은
잘 시키고
있겠죠?

네?
아아….

아,
안녕히
계세요!

…….
쾅
당

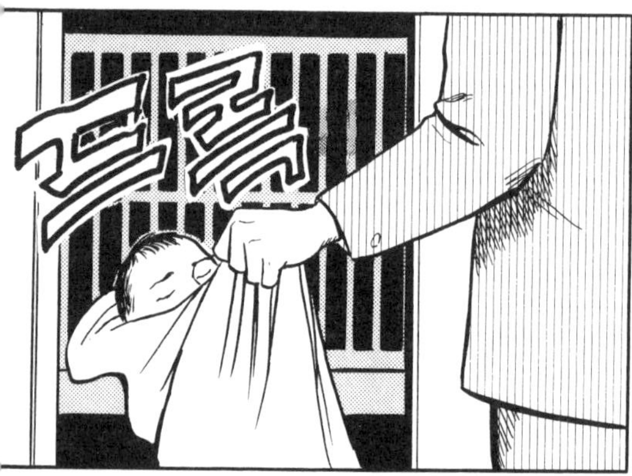
드륵

실험에 쓰려 해도
좀더 자랄 때까지
기다려야겠군….

그럼…
이제 저쪽도…
이번에는
인간의 힘을
빌려 봐야지.

뭐?
정말?!

경례!

야, 신이치.

요전번 사건 있잖냐?
그 북부고 여자 애가 살해당했다는….

그… 소문인데
말이야.

네가 첫번째
발견자라며?
…….

어이!
현장은 어땠어?
저기….

…….

기운 내.
툭

너 같은 건
인간도 아냐!

…….

가자.

괜찮아?

응… 너는?

나도 괜찮아.

…요전에
…영화 보자고
약속했던 날에
나….

…….

여어~.
좋겠다.
좋겠어.

슬픈 일이
너무 많아서…
미칠 것 같아.

으… 응….

카나의 죽음에 대해…
사토미한테 제대로
설명하고 싶었지만,
지금은
어떻게 말해도
무시무시한 얘기만
나올 것 같았다….

흠—.
여자 친구라….
좋을 때군.

泉

벌써 사흘째.
별로 이상한 점은
없군.
시시하게.

예… 그렇습니다. 어머니가 실종됐다는 것 하나만 빼면….
그점은 좀더 조사해 보겠지만, 그 학생 자체는 극히 평범한 고교생이더군요.

예.
론 그것은
속해서… 예…
았습니다.

딸칵

극히 평범한 고교생이라….
간의 관찰력도
단치는 않군.

하지만 인간이어야만 할 수 있는 일도 많다. 「시마다 히데오」는 할 수 없었던 부분….

한 번 시험해 볼까?

적당히
하라고 하더니

사진을 보아하니 살살 해주지 않으면 정말 죽겠군.
네 명씩이나 필요하지도 않겠는데.
하하하.

왔다!
사진이랑 똑같은데?

저 놈 하나 혼내주는데 10만 엔이라고?

나 혼자 한다고 그럴걸.
야, 야, 혼자 차지하기 없기다.

?

뭐지,
저놈들은?

잠깐만.
저기…?

잠깐만!
난 전혀
맞을 짓을…

부웅
우왓!

한 기억이…
없다구!
에잇

이거 피하는
것 좀 봐?
어?
어.

휙
휙
휙
이게.
어라?

그만들 좀 해!

부웅

덥썩

우앗!
말로 하자니까!!

퍼억
억!
퍼억

퍽
부웅

퍼억

이게!

따악

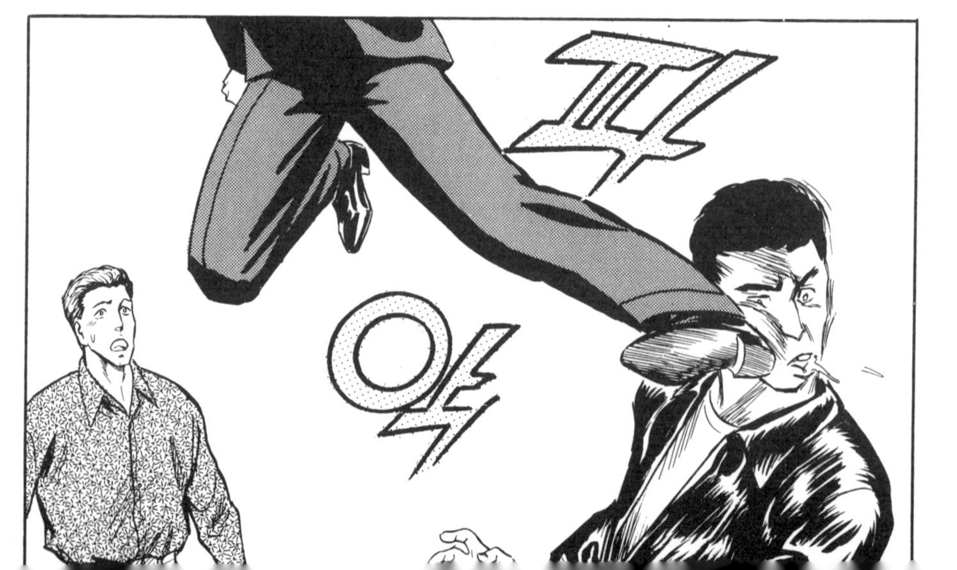
파악

어?

따약

빠약

뻐억

크억!

스윽

이거
굉장한데….

「사람
살려」는
무슨….

으아~
사람 살려!
어이….

야!
너희들,
뭐야!!

누가 시켰어?
앙?
어… 어떤
여자가….

뭐어…?

겉보기와는
영판 다르더군요.

…그리고?
그밖에는
알아낸 게 없나요?

그렇게 재빠른 몸놀림은
본 적이 없습니다!
원숭이 같았다구요.
달그락
달그락

아니… 뭔가
인간으로서
부자연스런
곳은….

가령,
오른손의 움직임만
특별히 눈에
띄지는 않았나요?

아뇨…?

역시….
어떤 특별한
변화가….

제32화 —끝—

제33화 목격자

이즈미 신이치.
17세, 고 2.
처음에는
어디에나 있는
지극히 평범한
고교생인 줄
알았으나…
조사를 진행하는 동안
그것이 터무니없는
오산이었음을
깨닫게 되었다.

아하하하하

아.

야, 저 뒤에
네 애인께서
오신다.

사토미,
이런 말을 하긴
좀 그렇지만…

뭘 그리 쑥스러워 하냐?
새삼스럽게!

그것만이 아냐.
죽은 여자 애랑
아는 사이라던데….

신이치 얘기 들었지?
지난번에 있었던
살인사건의 첫번째
발견자였다는….

지난번…
영화 보러 가기로
한 날, 난….

나도 알아.

야, 신이치.
너, 쟤랑 사귄 지 꽤 되는 것 같은데 말이야.

1주일에 한 번쯤은 하냐?

1주일에 한….

웃기지 마, 임마! 아직 한 번도….

우와! 뭐어야아? 여태 한 번도 못해 봤다고오?!

그렇게 떠들 일도 아니잖아!
쉿.

시끄러워 임마
깔깔깔깔
뭔가 즐거워 보이네.

……

사건이 있은 지 며칠도 안 됐는데….

안녕.

흥.

아무것도 아냐.
왜들 저리

딴따
따단
....
훅!
저 녀석들 땜에
미치겠네.

때…
「시마다 히데오」
건으로
를 구해
을 때도…

…기분 전환이
빠른 것뿐일까….

믿을 수 없을 만큼
강했지.

아주 냉정하고
침착해서…
마치 딴사람
같았어.

그렇지만…
카나라는 애하고는 정말 아무것도….

아니! 그런 게 아냐.

그 애하고 신이치 사이에 아무 일이 없었다 해도

너무 매정한 것 아닐까?
저리들 가!

그래.
맞아.

미안. 나, 볼일이 있어서 먼저 갈게.

응

어…
어이.

야, 신이치가 바람맞았다.
안됐다.

들이…

그가 다니는 학교…
그 학교에서는 그가 고1이던 가을, 그리고 고2 때 여름, 겨우 1년 남짓 사이에 두 번이나 전대미문의 참극이 벌어졌다.

살인귀
「A」에 의한
대량 살상사건.

그리고
의문의 폭발.

또한 전국을
떠들썩하게 한
「시마다 히데오」
사건….

범인인
「시마다 히데오」에
대해서는
—나로서는 도저히
믿어지지 않지만—
인간이 아니라는
소문마저 돌고 있다.

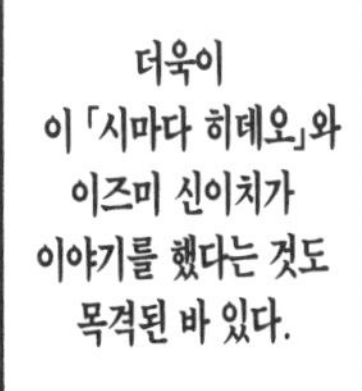
더욱이
이 「시마다 히데오」와
이즈미 신이치가
이야기를 했다는 것도
목격된 바 있다.

걔가 어째 요즘
쌀쌀맞단 말이야….

역시 카나 사건이
마음에 걸리나….

마음에
걸리지 않는다면
이상한 거지.

그래,
맞아!

…….

그래…. 이상한 건 나야.
이렇게 멀쩡한 게 더 이상하다구.

뭘 혼자서 그렇게….

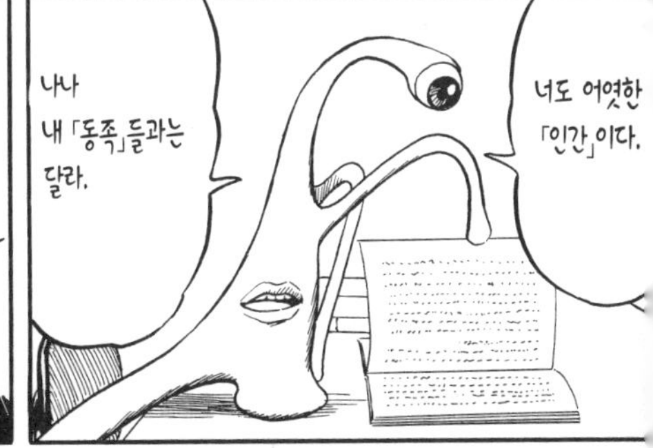
너도 어엿한 「인간」이다.
나나 내 「동족」들과는 달라.

어쩐지…
너한테 그런 말을 들으니 더 자신이 없어지네….

그렇지 않아도 나와 얘기할 때면 이 방에서 소리가 조금 새어나간다. 거기다 네 혼잣말까지 더해지면…

너무 시끄러워져서 네 아버지에게 들킬지도 몰라.

…….

이웃들의 얘기로는
가족간에 불화는
없었던 모양이고,
실종 직전에는 두 부부가
사이좋게 여행을
떠났다고 한다.

어머니가
실종됐다고
했던가?

평소 알고 지냈다는
이웃 주부들의 인사를
무시한 채….

그리고 며칠 후,
혼자 빈손으로
돌아오는 어머니가
목격되었다.

그 후,
그녀를 본
사람은
아무도 없다.
….
몇 분 후
다시
빈 손으로
나왔다고
한다.

집으로
들어갔다가
…

탁탁 탁탁 탁탁

어딜 가니…?
너무 늦지 마라.

예!

어라? 이런 시간에….

대체 어딜…?

덜컹
덜컹

두 구간 지나서
내리는군.
그러고 보니
이곳에서….

—그리고
최근에 발생한
여고생 살해사건.
이 사건 역시
의문점이 많다.

정확히 말하면 시체는 세 구였다.
이즈미 신이치의 친구였다는
여고생과 신원을 알 수 없을
정도로 찢겨진 시체….
그리고 「범인의 한 사람으로 보이는」
남자의 시체였다.

피해자의 몸이
찢기는 현장에
우연히 나타난
여고생이
피살되고,

경찰의
발표에 의하면
범인은
2인 이상으로,
우선 제1살인이
발생.

마지막으로
첫 번째
발견자인 소년,
즉,

이어 범인들 간에
내분이 일어나
한 사람이 죽고
나머지는 도주.

이즈미 신이치가
나타난 것이다.

뭔가 있는 듯한…,
내가 탐정이 아니어도,
추리소설 같은 스토리를
상상해 봄직한 사건이다.

그러나
피살된 범인의
신원에 대한
단서 역시
전혀 발표되지
않고 있다.

이즈미 신이치의
주위에는
이렇듯 끔찍한
사건들이
널려 있다.
이래도 그가
평범한
고교생이라고
할 수 있을까?

그에게는
뭔가 있다….

뭔가
무시무시한
비밀이!

거짓말 같지만…
그는 지금 바로
그 최후의 사건 현장에 찾아왔다.
사실은 소설보다 기구하다던가―.
이런 미스터리 사건은
나와 상관없는 세계의 일이거나
공상일 뿐이라고 생각했는데….

신이치….
이런 곳엔
뭐하러….

정확히 표현하기 어렵지만 지금 나는…
괴로운 일이나 슬픈 일을 금방 금방 잊어버리고… 사는 것 같아.

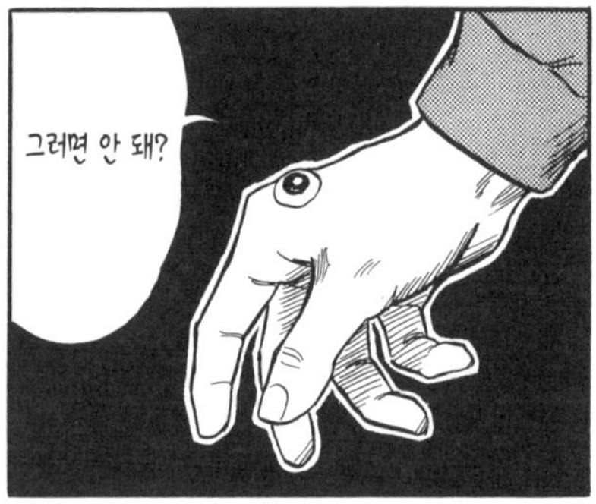
그러면 안 돼?

전에는… 이렇지 않았어.
로운 일이 기면 기에 달려…

언제까지나 고민하고….

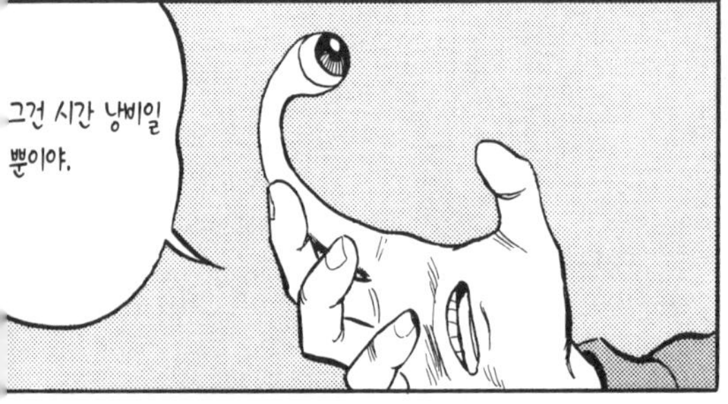
그건 시간 낭비일 뿐이야.

그렇지 않아

?

대체 누구와
얘기하는 거지?
혼잣말인가?

카나는 아마
그 괴물을
나로 착각하
접근했을 거
…그러다
당한 거지.

나 때문에….

아냐…
좀더 그 애를
위해….

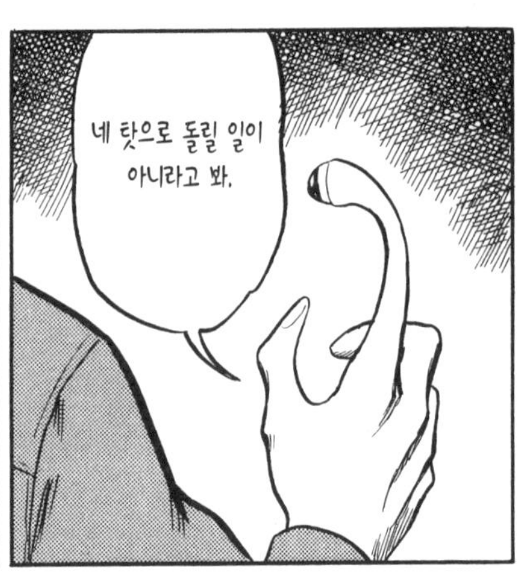
네 탓으로 돌릴 일이
아니라고 봐.

이상하게
들릴지 모르지만,
그 애가 죽은 것을
좀더 슬퍼하고 싶어.
그리고
그 슬픔을
기억해 두고
싶어.

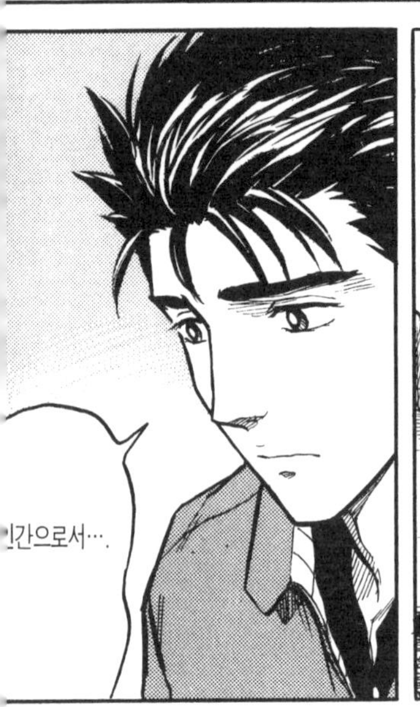
인간으로서….

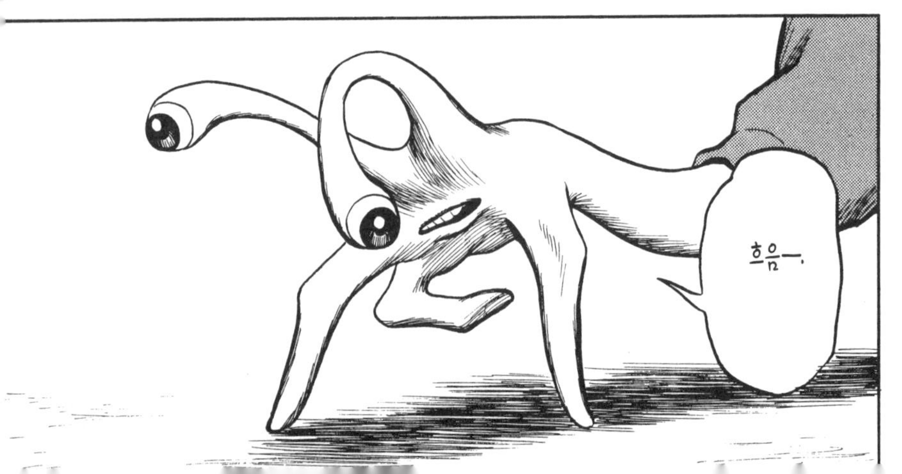
흐음—.

!

멈칫

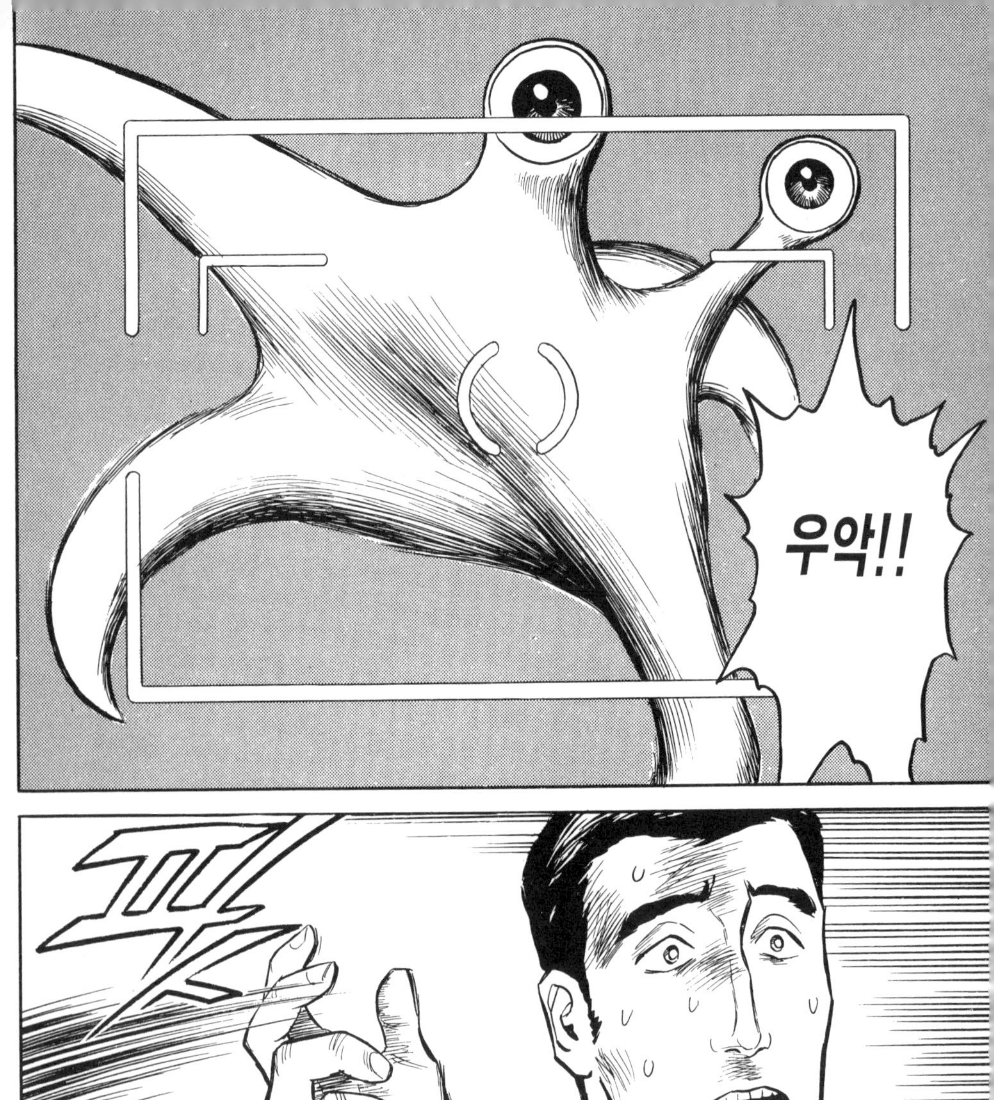
우악!!

팍

……
툭

괴…
괴물이야!!

키이이이잉

안 돼!
오른쪽아!!
뭘 어쩌려고?!

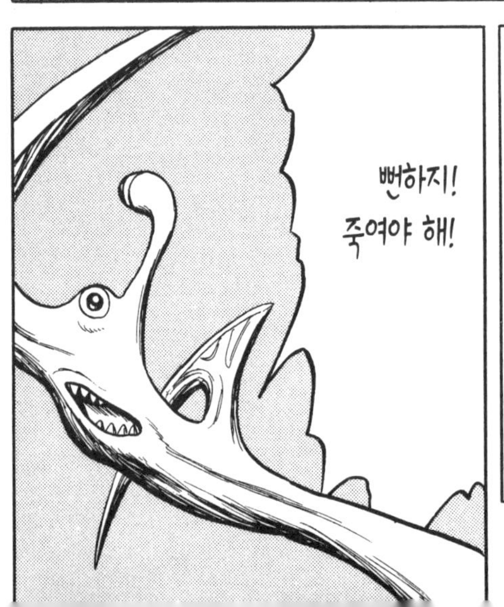
뻔하지!
죽여야 해!

스우우
아, 안 돼!
기다려!!

히익!!

콰앙
안 된다니까!!

콱

왁!
우앗!

아저씨,
도망가요!!
어서!!

아아아….

뭘 하는 거야!
뛰어요!
어서!!

신이치,
방해하지
마!!

끼이이이잉

흐아아!

주우욱
우악!

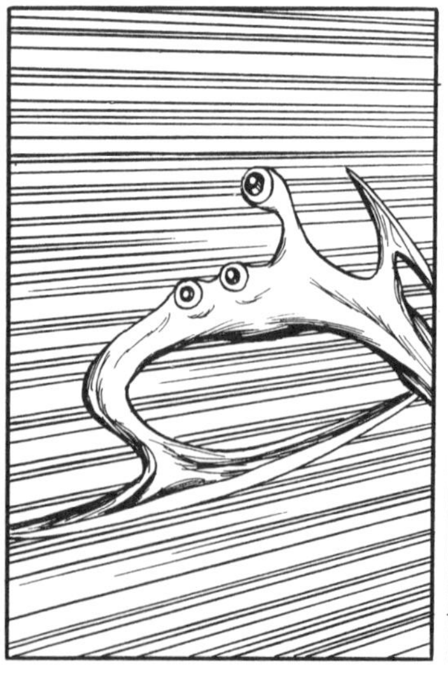

윽!
철썩

꼬악!

으아아아.

앗!!

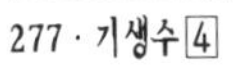

헉헉.

후아~
후아~.

으아악?!

사악
사악

슈욱

!!!

캉
캉
우왁!
파악
카앙

쿵
사, 사람 살려!
아아.
우아아아!

몸이
너무 가벼워서
힘이 안 들어가!
히이이이이이이

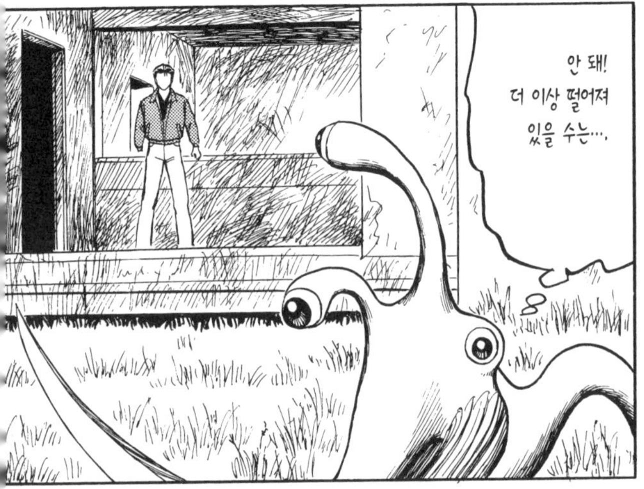
안 돼!
더 이상 떨어져
있을 수는….

삭
삭

오른쪽아…
…….

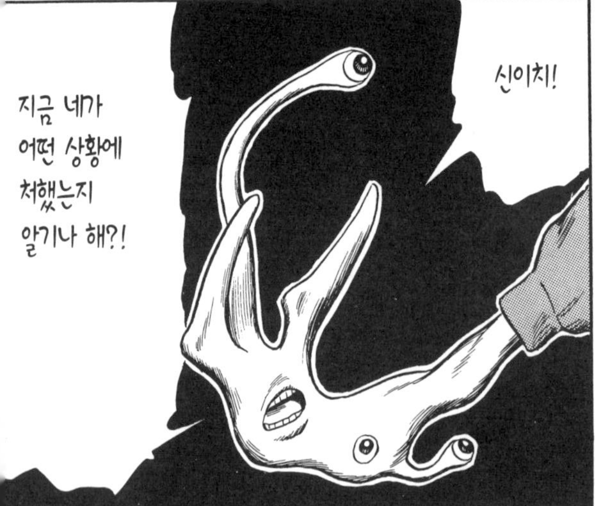
지금 네가
어떤 상황에
처했는지
알기나 해?!
신이치!

쑤욱

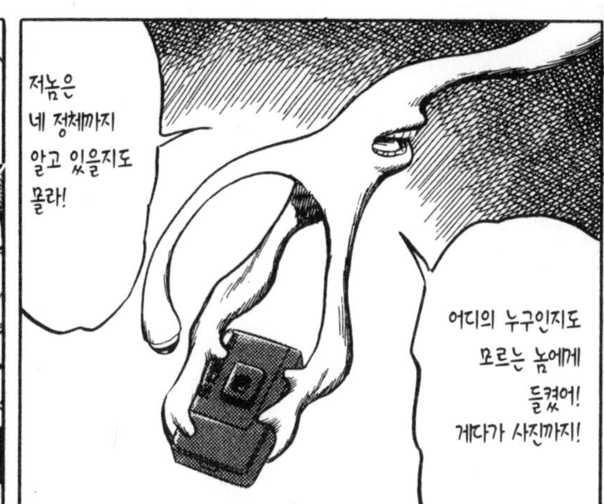

저놈은
네 정체까지
알고 있을지도
몰라!
어디의 누구인지도
모르는 놈에게
들켰어!
게다가 사진까지!

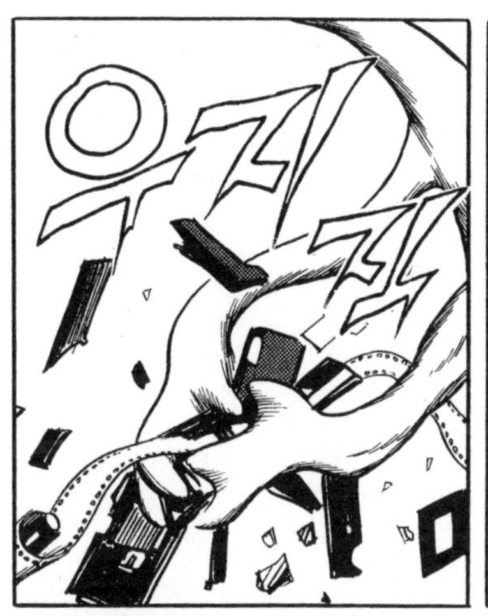

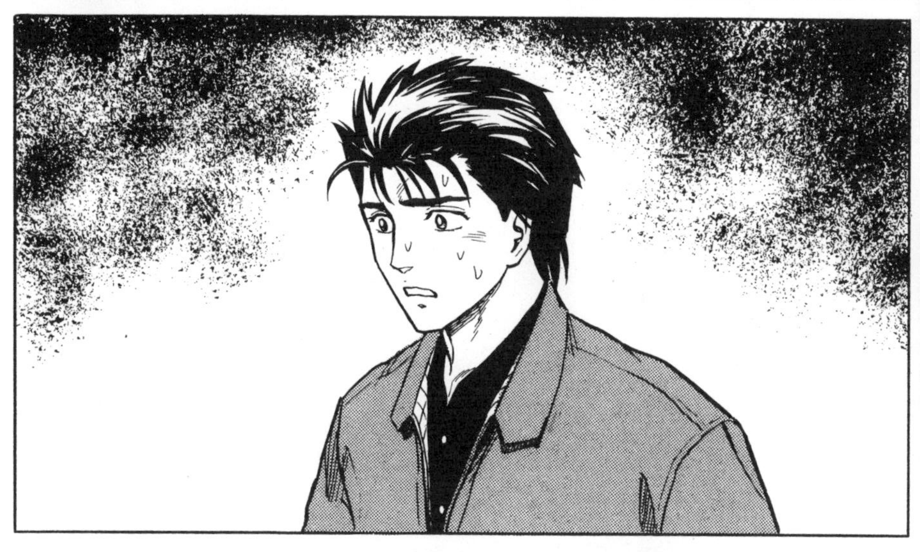

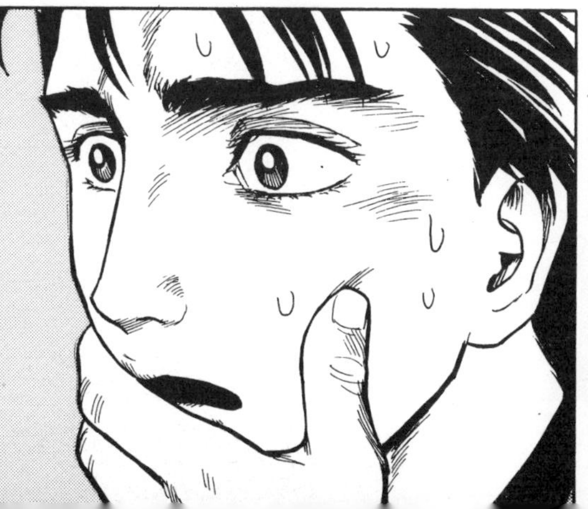

드… 들켰다.

제5권에 계속

HITOSHI IWAAKI

④

寄生獣

寄生獸

4

스페셜-004

2003년 8월 25일 초판발행
2024년 2월 29일 25쇄발행

저 자: Hitoshi Iwaaki
번 역: 서현아
발 행 인: 정동훈
편 집 인: 여영아
편집책임: 이진경
편집담당: 백유진
발 행 처: (주)학산문화사

서울특별시 동작구 상도로 282 학산빌딩
편집부: 828-8973 FAX: 816-6471
영업부: 828-8986
1995년 7월 1일 등록 제3-632호
http://www.haksanpub.co.kr

개정판 ISBN 979-11-348-7201-4 07650
ISBN 979-11-348-1789-3(세트)

값 9,000원